UNE CHANCE POUR MOI

Ce livre a été écrit par Renaud Paris
d'après le scénario de Marlène Bernard,
gagnante du concours
Cœur Grenadine/Okapi 2001.
Qu'elle en soit ici remerciée.

Avis aux lecteurs

Vous êtes nombreux à nous écrire
et nous vous en remercions.
Pour être sûrs que votre courrier arrive,
adressez votre correspondance à :

Bayard Éditions Jeunesse
Collection Cœur Grenadine
3 / 5, rue Bayard
75008 Paris.

Cœur Grenadine

UNE CHANCE POUR MOI

RENAUD PARIS

BAYARD JEUNESSE

BIOGRAPHIE

Romancier, scénariste, dramaturge et historien, **Renaud Paris** est l'auteur, sous divers pseudonymes, d'une vingtaine d'ouvrages pour la jeunesse : romans historiques, récits fantastiques et romans d'amour.

Loi n° 49-956 du 16 juillet 1949
sur les publications destinées à la jeunesse
Dépôt légal juin 2002

ISBN : 2 747 006 42 5

Chapitre 1

Je crois qu'ils vont me rendre folle.
Pourtant ils sont mignons, Ted et Léo, mes petits frères, surtout lorsqu'ils me regardent avec leurs yeux bleus, limpides. Mais je ne me fie guère à leur innocence. Derrière cette douceur affichée, je les sais malins, pétillants, désarmants. Insupportables parfois. Le problème, avec les jumeaux, c'est qu'ils additionnent tout : les coups de cœur et les colères, la gentillesse et les bêtises.

– Mangez, vite !
– Pourquoi, vite ? dit Léo.
– C'est mauvais de manger trop vite, renchérit Ted.
J'essaie de me montrer conciliante :
– Papa rentre tard. Je dois vous mettre au lit avant huit heures.
– Je ne vois pas le rapport, dit Léo.
Effectivement, il n'y en a aucun. Ils m'agacent. À huit ans, ils ne vont pas faire la loi, tout de même ! J'en ai le double.
– Qu'est-ce que c'est, ce truc ? demande Ted en reniflant son assiette.
– Du sauté de veau.
– Beurk ! dit Léo.
Ted repousse son assiette :
– Pour moi, ce sera un hamburger frites.
– Tu te crois au restaurant ?
– Risque pas !
Toujours ces yeux candides. Ils me cherchent !
– Sauté de veau ! Tu sais pourquoi on l'appelle comme ça, Teddy ? demande Léo. Non ? Tu donnes ta langue au chat ?
– C'est ce machin que je donne au chat.
– Sérieux : quand tu l'as avalé, ça te saute dans l'estomac comme une grenouille, voilà pourquoi.

Ça, c'est Léo. Surtout ne pas sourire, sinon les vestiges de mon autorité s'évanouiront.

– On peut allumer la télé ? demande Ted.

– Quand vous aurez fini de manger.

– Sois cool, Marlène, allez !

Je cède. En regardant l'écran, au moins, ils ne penseront pas à ce qu'ils mangent.

– La 3. Il y a une émission super chouette.

– « Les espoirs de la chanson », dit Ted en rigolant tout bas.

Il y avait longtemps ! La chanson, c'est ma passion. Avec trois copains musiciens, j'ai formé un petit groupe : les Golden Eagles. On joue de temps en temps dans les bals, les mariages, et au Blue Night, un club de jazz. C'est là que je dois chanter ce soir, comme tous les samedis. Il y a quelques mois, FR3 a diffusé une courte séquence filmée au cours d'une de ces soirées. Notre heure de gloire. Pas terrible, en réalité. J'avais commis l'imprudence d'annoncer l'émission longtemps à l'avance. La famille s'était réunie devant le petit écran pour voir se démener un orchestre fantôme et une chanteuse inaudible. Depuis, mon prestige a baissé d'un cran et les plaisanteries des jumeaux ont grimpé de dix.

Le temps passe, je vais être en retard au club.

On dirait qu'ils le font exprès !
– Mangez ou j'éteins !
Trop tard : mon père arrive. Abel Armani est un bel homme, mince et élégant. J'étais fière de me promener avec lui, à l'époque où il m'emmenait. Maintenant, le travail dévore ses loisirs et l'éloigne de nous.
Les jumeaux se bousculent, escaladent ce grand corps sec et robuste, se frottent contre son visage. Il sourit d'un air las. Puis ma mère, Viviane, surgit à son tour. Elle regarde la table et soupire :
– Ils n'ont rien avalé !
Pas une bouchée. Les sales mômes ont obtenu ce qu'ils voulaient : ils vont pouvoir dîner en famille.
En emportant leurs assiettes pour les réchauffer, Viviane m'adresse un regard de reproche. Si elle croit que c'est facile d'être l'aînée ! Mes sœurs nous rejoignent en douceur. Sophie, douze ans, est rêveuse, détachée des choses terrestres telles que le repas des jumeaux. Quant à Sabrina, qui a un an de moins que moi, elle ne s'intéresse qu'à elle-même. C'est une beauté, et elle le sait. Elle passe son temps à se maquiller, changer de toilette et prendre soin de son corps.

Maman préfère compter sur moi, hélas ! Non, je suis injuste. La fée Viviane – comme je la surnomme lorsque nous ne nous chamaillons pas – est la femme la plus courageuse du monde. Je l'aime, je l'admire : mais moi, je n'aurai pas six enfants, ça non ! Je serai chanteuse, du moins si on me laisse le temps de chanter.

Je monte en vitesse dans ma chambre, ouvre mon armoire, décide de mettre ma robe bleue. Le tissu, léger et soyeux, accroche la lumière ténue du Blue Night. Et puis elle est sexy, paraît-il, cette robe, juste ce qu'il faut pour briller sans allumer. Tiens, c'est marrant, ça !

Zut ! Une énorme tache s'étale sur la jupe. Elle sort du pressing, pourtant. Un soupçon me propulse au salon.

– Sabrina, tu portais quelle robe, samedi dernier ?

– Samedi ? Je ne sais plus, moi… Ma rose, je crois, répond l'intéressée d'un ton de suprême ennui.

– Mais non, la bleue. Tu étais très jolie, intervient Sophie.

La distraite ne remarque pas le regard meurtrier que lui décoche sa sœur.

– Tu aurais pu au moins m'avertir que tu l'avais salie !

– Pas fait attention.
Mon œil ! Elle sait que j'ai horreur qu'elle emprunte mes fringues.
– Tu peux prendre ma robe blanche, si tu veux, propose Sophie.
Je souris. Pourtant, j'ai le cœur gros. Dans cette maison, il n'y en a pas un pour prendre ma future carrière au sérieux.
– À table ! annonce Viviane en surgissant de la cuisine.
Il me reste un peu plus d'une demi-heure. Je me dépêche d'avaler un minuscule morceau de veau et la moitié d'une pomme de terre.
– Ne mange pas trop, me conseille Léo.
Qu'est-ce qui lui prend ? L'œil malicieux de Ted m'avertit d'une traîtrise prochaine.
– Des fois que FR3 serait là !
– Arrêtez de dire des bêtises ! ordonne Viviane.
– C'est vrai, elle n'aurait plus d'appétit pour boulotter ses cheveux, dit Ted.
Je hausse les épaules. Le soir de la fameuse émission, avec le rythme, j'avais les cheveux sur le visage. Dans la bouche, paraît-il, à la manière de Sara Schérer, la Canadienne.
– Elle avait un cheveu sur la langue, ajoute Léo.

Ils éclatent de rire. Pas moi. Je jette ma serviette et quitte la table. Après avoir enfilé un pantalon noir et une chemise blanche, je me précipite au garage. Ma petite Honda est dans un coin. À moitié démontée, hélas ! L'orchestre doit attaquer dans dix minutes, et je suis sans véhicule. J'en ai ras le bol. Je monte comme une furie.

– Jonathan !

Le quatrième enfant de la famille est au bout de la table. Il se tient un peu en retrait, le visage penché. Je sais qu'il a un journal de mécanique sur les genoux. Je le lui arrache et le balance à l'autre bout de la pièce.

– Qu'est-ce que tu as fait à ma moto ?

Il montre un regard éberlué derrière ses lunettes rondes :

– Ta courroie de transmission, elle avait du jeu.

J'essaie de respirer profondément pour ne pas crier :

– Le moteur est en miettes.

– La courroie était nase, j'en ai récupéré une neuve.

– Où elle est, cette courroie ?

– Là, j'en ai pour une petite heure.

– Espèce de taré !

Cette fois, ça y est : j'ai hurlé.
– C'est possible d'avoir un peu de calme ? demande Abel, agacé.
Autrefois, il me protégeait. Mais, depuis quelque temps, on dirait que mes problèmes n'ont plus d'importance. J'en ai les larmes aux yeux :
– Tu pourrais m'aider !
– Toi aussi !
Le ton est glacial. Du coup, j'éclate en sanglots. Sophie se précipite pour me serrer dans ses bras. Je la repousse avec douceur. Abel jette un bref coup d'œil à Viviane avant de se lever :
– Allez, viens, je t'accompagne.
Je reconnais enfin la voix tendre qui me console depuis que je suis née.

Chapitre 2

À neuf heures, le Blue Night est encore endormi. Les copains installent leurs instruments. Il y a Jean, le batteur ; Chet, le saxo – Jean-Louis, en réalité – ; et Éric, le guitariste. C'est lui le leader du groupe. Pas très doué, mais chouette garçon.

J'ai droit aux plaisanteries d'usage ; mais ce soir je ne suis pas d'humeur à rire. Abel m'a laissée sur le parking en m'embrassant sur le front : « Amuse-toi bien ! » Comme s'il s'agissait d'un jeu ! Chanter, ne lui en déplaise, n'est pas un passe-temps, c'est mon métier, enfin celui que je compte exercer plus tard. Pour l'instant, je réussis tout juste à gagner assez d'argent pour faire face aux anniversaires des membres de ma nombreuse famille.

– Il y a de l'orage dans l'air, fredonne Jean.

– Toi, la ferme !

– Tu devrais te refaire une beauté, me conseille Éric. Ton mascara, c'est la Bérézina !

Je descends aux toilettes pour réparer les dégâts provoqués par ma crise de nerfs. Ce n'est pas du luxe. Au retour, je traverse la salle. Un tiers des tables sont occupées. Avant onze heures, on ne sert pas d'alcool, au Blue Night, c'est pourquoi on nous autorise à jouer, car nous sommes mineurs, excepté Éric.

Les clients, jeunes pour la plupart, bavardent sans prêter attention aux Golden Eagles, qui ont commencé à jouer en mon absence. Le Blue Night est un club de jazz, et notre musique ressemble timidement à ce qu'on peut entendre à partir de onze heures, au moment où le groupe laisse la place à des pros.

Au passage, Lou, le patron de la boîte, m'adresse un sourire amical qui se veut encourageant.

Je monte sur scène, saisis le micro et attrape la musique au vol. J'ai pris ma voix rauque, style Sarah Vaughan. Puis j'enchaîne avec « Solitude » de Duke Ellington. Je suis à des années lumière de la célèbre chanteuse noire Billie Holiday, mais je sais que j'ai une belle voix, chaude et, paraît-il, émouvante. Et puis, dès que je suis en scène, j'oublie tout. Je me sens différente : libre, attirante, irrésistible.
À présent, c'est « Good Morning Heartache » de Dan Fisher, ma préférée. Les copains s'excitent un peu trop, à mon goût. Le blues, c'est une blessure, une plainte, pas un cri de fureur. Au premier rang, j'ai remarqué un homme. Il est jeune, blond, vêtu de sombre, beau comme un dieu. Inconsciemment, je laisse mes yeux se porter sur lui. Il a l'air solitaire. Je l'imagine triste, déçu, en proie à l'ennui. De temps en temps, il me jette un bref regard, puis incline la tête, comme pour laisser le blues pénétrer en lui.
Lorsque « Good Morning » se termine, je demande à Éric de jouer « Love Song ». Cette chanson-là, c'est moi qui l'ai écrite. Elle est tendre, désespérée ; et Chet, dans un éclair de génie, a composé pour elle une belle mélodie. Voilà ce qu'il faut au garçon mélancolique !

Cette fois, je remporte mon petit succès. La salle s'est remplie, les clients applaudissent. Mon beau ténébreux, lui, s'est installé à une autre table. Il me tourne le dos et, à mon grand dépit, il n'a pas écouté un traître mot de ma chanson. Il bavarde familièrement avec Lou. Lorsqu'il se retourne vers moi, je lui trouve un air ironique et méprisant. Qu'il aille se faire voir !
Tandis que la colère commence à bouillonner en moi, Lou fait signe à Éric. Après avoir déposé son instrument, notre guitariste rejoint le patron et son invité avec sa démarche arquée de shérif de western. Il écoute docilement, hoche la tête et revient, mais cette fois en traînant les pieds.
– Qu'est-ce qui se passe ?
– Il veut que tu chantes « Ne me quitte pas ».
J'ouvre de grands yeux :
– La chanson de Brel ?
– C'est ringard ! dit Jean.
Je rectifie :
– La chanson est superbe, mais ce n'est pas mon genre.
– Et puis, on n'est pas à la foire aux auditeurs, grogne Chet.
– Allez, je t'accompagne, insiste Éric en prenant sa guitare.

– Pas question.
Je plante le micro sur sa fourche et saisis mon sac. C'est l'heure. Terminé pour ce soir !
– Charrie pas ! supplie Éric. C'est Lou qui le veut. Pour une fois qu'il nous demande quelque chose ! On lui doit une fleur, non ?
Je hausse les épaules :
– Des clous ! On ne lui doit rien du tout. Pour ce qu'il nous paie : le tiers des pourboires, même pas !
– La tune, O K, concède Éric. Mais cette boîte, le Blue Night, ce n'est pas rien. Et c'est grâce à Lou qu'on est là, ne l'oublie pas.
– Grâce à mon père, son ami d'enfance.
Un soupçon m'effleure :
– Du reste, cette idée, elle n'est pas de lui, pas vrai ?
– C'est le mec qui est avec lui, confirme Éric.
– Le minet ? renifle Chet.
Le personnage est loin d'être un minet, mais décidément son arrogance me déplaît :
– D'abord, ce type, d'où il sort ? On ne l'a jamais vu.
– Lou le connaît.
– Pas moi, désolée !
Je file vers la sortie.

Chapitre 3

– Arrête !

Éric me retient par le poignet. Il dit tout bas :

– Fais-le pour moi.

Je n'ai jamais su résister à la douceur. Une chanson, après tout ! Je reviens vers l'estrade en affichant un air maussade. Et je recommande aux autres :

– Pas trop de bruit !

Ils se tordent de rire, comme des idiots. Du coup, ils se mettent à jouer pianissimo ; on les

entend à peine. Ça me convient très bien. Je peux laisser aller ma voix. Quand je veux, je chante bien. Dans la salle, les conversations se sont tues. Pour une fois, il me semble que les gens sont attentifs ; sauf le blond, qui continue à bavarder avec Lou comme si je n'existais pas. Merveilleuse chanson. C'est elle qui fascine encore les blasés du Blue Night, c'est elle qu'on applaudit, Lou plus fort que les autres. Son compagnon, lui, reste de marbre. Il ne sait même pas dire merci. Si, tout de même. Il s'avance tandis que nous rangeons notre matériel. Je crois qu'il va m'adresser un mot gentil, mais il se contente de tendre la main à Éric :
– Tu permets ?
C'est sa guitare qu'il veut. On aura tout vu ! Il s'installe sur l'estrade comme chez lui. Il ne nous reste plus qu'à vider les lieux en attendant qu'il ait fini son numéro. On s'assoit tous les quatre autour d'une table. Je consulte ma montre : dix heures et demie, il faudrait que je rentre. Mais ce prétentieux va se planter en beauté, j'espère, et je ne manquerais le spectacle pour rien au monde !
Tandis qu'il accorde la guitare, je lui tourne ostensiblement le dos et bavarde à haute voix avec mes copains.

Soudain, la guitare se met à vivre. Phénomène étrange : on dirait un autre instrument. Ses sonorités rappellent Santana. Il joue un air à la fois vibrant et nostalgique. Troublant. Au bout de trente secondes, je parle dans le vide : les autres, fascinés, regardent le guitariste. Malgré moi, je me retourne à mon tour. L'homme est transformé, comme son instrument. Il sourit. Son visage est d'une beauté sauvage. Ses longs doigts nerveux griffent la musique, la forcent à gémir et à crier. Mon cœur se met à battre à ce rythme-là. De temps en temps, le musicien me regarde fugitivement. Il me semble qu'il joue pour moi. Pure illusion, je sais bien. Il est tellement habité par ses vibrations qu'il ne voit rien. Il enchaîne les morceaux. Je reconnais au passage « Summer Night » de Harry Warren. Le voyage dure longtemps, près d'une heure. Et, quand il s'arrête, j'ai la sensation d'émerger d'un rêve profond. La magie demeure. La salle reste muette, avant d'exploser en applaudissements frénétiques. Les Kiss — l'orchestre qui doit nous succéder — sont restés debout, au seuil de la salle, leurs instruments à leurs pieds. Ils sont là depuis combien de temps ?

Lou s'empare d'un micro. Il lève la main. Le public se calme :

– Vous avez tous reconnu Mat Simons, qui nous a fait l'honneur de jouer ce soir.
– Merde ! s'exclame Éric.
Mat descend de l'estrade sans saluer son public. Il rend la guitare à Éric sans un mot, juste un léger signe de tête pour dire merci, puis il disparaît.
J'adresse une interrogation muette à Éric, qui contemple sa guitare comme un objet sacré.
– Tu te rends compte ? dit-il. Ce mec est tout jeune, mais c'est déjà une légende. Il a joué avec les plus grands : Jerry Hackett, Keith Jarret, Clifford Clark. Merde ! Merde !
Chez Éric, les jurons servent à exprimer le sublime.
– Tu me raccompagnes ?
Je demande ça avec humeur. Éric me dévisage comme si j'avais commis un sacrilège. Mat Simons a joué sur sa guitare et, moi, je ne pense qu'à dormir ! Puis sa gentillesse l'emporte :
– Allez, viens !
Bien que je simule l'indifférence, au fond je suis aussi émue que lui. L'image du garçon persiste en moi. C'est une douleur lancinante, une vague tristesse à l'idée que je ne le reverrai sans doute jamais. Mille questions se bouscu-

lent dans ma tête : pourquoi m'a-t-il demandé de chanter ? Pourquoi Brel ? Pourquoi m'a-t-il ignorée ensuite ? Pour m'humilier ? Je suis furieuse. Pas contre lui, oh non : contre moi. Furieuse de ne pas avoir plus de talent, furieuse de n'être pas plus belle, furieuse d'être obsédée par son visage et ses mains. J'imagine qu'en le voyant jouer toutes les filles doivent ressentir la même chose.
Pendant tout le trajet, Éric et moi n'échangeons pas un mot. Je comprends ce qu'il éprouve ! Depuis toujours, il rêve de ressembler à Mat. Mais il n'est pas jaloux, il connaît ses limites : même en travaillant cinq heures par jour sa vie durant il ne jouera jamais comme lui.
Et moi, je me sens épuisée, découragée. J'ai seize ans et, comme on dit, toute la vie devant moi. Mais il y a ma famille, mes études, le bac à la fin de l'année. Il y a ma voix qui n'a aucune chance de franchir les portes capitonnées du Blue Night. L'aventure, ce n'est pas pour moi.

Chapitre 4

C'est le surlendemain que ma vie bascule.
À cinq heures dix, comme chaque jour, je laisse Céline, mon amie du lycée, au coin de la rue. Céline, Marlène ; on nous confond parfois. Mêmes notes, même écriture, même sourire, paraît-il. Seule ma réputation de chanteuse me distingue.
Du bluff ! Je pousse la grille du jardin, gravis les escaliers du perron et cherche ma clé lorsque la porte de la maison s'ouvre. Je vois

briller des yeux de chat. Sophie !
– Il y a quelqu'un qui t'attend, souffle-t-elle.
Cette voix impatiente ne lui ressemble guère.
– Maman est là ?
– Elle est allée chercher les jumeaux.
Je pense aussitôt à Flora Martineaux, ma prof de maths. Après un échange de mots acides, elle a menacé de parler de mon insolence à Viviane.
– Elle est en bas ?
– IL est en bas, rectifie Sophie.
Pas de Flora, c'est déjà ça. En bas, c'est la véranda, au ras du jardin. Je dégringole l'escalier et vois Sabrina penchée gracieusement sur un inconnu.
Pull noir, boucles blondes. Pas si inconnu que ça.
– Mat ?
Je me reprends :
– Monsieur Simons ?
Il sourit :
– Je m'excuse de débarquer chez vous sans prévenir. C'est Lou qui m'a indiqué votre adresse. Tu peux m'accorder quelques instants ?
Avec le tutoiement, la voix se fait plus douce. Au fond de moi, une inconnue répond : « toute

ma vie». Et j'enregistre au soleil de l'après-midi tout ce que la pénombre du Blue Night s'est contentée de suggérer : les yeux clairs, les pommettes hautes, le pli des lèvres, la peau dorée, les muscles sous le pull collant à même la peau.

– Quelques instants, seulement, dit-il.

Je dois avoir l'air hébété :

– Bien sûr.

– Je ne suis pas de trop ?

Ça, c'est Sabrina, ma jolie sœur à la jupe trop courte pour être honnête.

– Va m'attendre au salon, tu veux ?

– Pas de problème.

Le sourire éblouissant est destiné à Mat, mais elle en est pour ses frais : c'est moi qu'il regarde.

– Voilà, je suis musicien…

– Je l'avais deviné !

Cette allusion à son numéro de samedi soir l'amuse. Il est craquant quand il sourit. À présent, je me sens bien. Sous sa nonchalance, je devine une passion à fleur de peau. Ses mains nerveuses le trahissent.

– Mon père dirige une maison de production spécialisée dans les émissions musicales, poursuit-il. La société s'appelle Concerto. Elle bosse avec Canal Sat, TPS, BBC, M6. Elle réalise aussi des clips pour les stars de la chanson. Bref, Concerto est actuellement à la recherche de nouveaux talents. De temps en temps, quand mes concerts le permettent, je l'aide. Je voyage beaucoup, en France et à l'étranger. Je vois toutes sortes de spectacles. Samedi, je t'ai entendue chanter au Blue Night. Tu as une voix superbe.

Comme je me sens rougir, pour me donner une contenance je fais remarquer :

– Il m'a semblé pourtant que tu n'étais pas très attentif.

Il sourit. Un soupçon d'ironie, pas vraiment blessante.

– Il ne m'a fallu que quelques instants. Entre nous, tes Golden Eagles ne valent pas un clou, et ton répertoire ne te convient pas. Sarah Vaughan, Ella Fitzgerald, ce n'est pas ton genre.

Je demande, vexée :

– C'est quoi, mon genre ?

– « Love Song », c'est toi qui l'as écrite ?

– C'est moi, oui.

Je m'attends au pire. Il hoche la tête :

– Belle chanson, et ta voix est faite pour elle. Tu es une chanteuse romantique, Marlène.

Il pose une main sur son front :
– Au fait, j'aurais dû commencer par là. Tu es très jeune...
Pas tant que ça, quand même. Il me prend pour une gamine !
– Le Blue Night, c'est peut-être un passe-temps...
On croit entendre mon père !
– Une carrière de chanteuse, ça te plairait ?
Là, il se rachète ! Mon cœur s'affole, ma gorge est si contractée que je suis incapable de sortir un mot. Je me contente de le regarder intensément. Chanteuse ! Mais je suis née pour ça !
– Je te pose cette question parce que Concerto organise un grand concours, en collaboration avec la firme Sony. La sélection des candidates est impitoyable, mais la manifestation sera retransmise à la télévision, et le prix justifie bien des efforts : un disque, un clip, plusieurs émissions sur MTV2, MTV Hits, TV6, plus la couverture de presse. Une chance unique de percer. Une chance pour toi.
– Pour moi ?
– Si je ne le pensais pas, je ne serais pas ici.
Ah bon ! il ne s'agit que de ma voix. Dommage. J'espérais que ma frimousse et

mon anatomie justifiaient un peu l'insistance du prince charmant. Enfin, ma voix, c'est mieux que rien. Je plaisante : c'est super !
– Je pourrais t'enregistrer ?
– Bien sûr. (Et comment !)
– J'ai besoin de trois ou quatre chansons romantiques. Tu as ce qu'il faut ?
– J'en ai quelques-unes.
– Je peux voir ?
Je file dans ma chambre et reparais avec mes œuvres complètes : six textes, dont trois prometteurs, d'après ma prof de français, très branchée poésie. Mais la poésie et la chanson… Mat les survole.
– J'en ai aussi. Tu connais le Studio Winger ?
– C'est à Aix, non ?
– Près de l'avenue de l'Europe. 3, rue Coudret. Tu notes ?
Je note.
– Demain ?
– Déjà ?
– Le concours aura lieu dans moins de trois semaines. En principe, il y a six candidates, mais ils ne sont pas sûrs de la sixième. Pour être franc, je n'y pensais plus, mais en te voyant, j'ai eu un coup de foudre.

Il a de ces mots ! J'admire son profil, le dessin de ses lèvres. Vigueur et tendresse. Comment résister à tant de charme ?
– Ils l'auront aussi, affirme-t-il.
– Quoi donc ?
– Mais le coup de foudre !
Ah oui, je l'avais oublié, celui-là !
– J'ai téléphoné aux organisateurs et réservé le studio.
Je le dévisage avec des sentiments mêlés de panique et d'admiration. Au moins, il sait ce qu'il veut.
– Je pourrai, mais après les cours.
– Dix-huit heures ?
– D'accord. Tu veux parler à ma mère ? Elle ne va pas tarder.
Je maudis ma voix de petite fille et le sourire moqueur de Mat.
– Après l'enregistrement, si ça ne te dérange pas. Il faut que j'y aille. À demain !
Je le raccompagne jusqu'au portail. Il a une Porsche gris métallisé. Un geste de la main. Il démarre comme un bolide. Lorsque je me retourne, j'aperçois les visages de mes sœurs collés à la fenêtre.
– Qui c'est ? demande Sophie.
– Un guitariste, dit Sabrina d'un air entendu.

Je souris à Sophie :
– Mat Simons. Il est célèbre, tu sais.
– Tu es amoureuse de lui ?
Je caresse les cheveux soyeux de ma petite sœur.
– Bien sûr que non, voyons.
Elle hoche la tête avec gravité :
– Tu devrais.
Je monte dans ma chambre pour retrouver un peu de sérénité. Tout se bouscule dans ma tête : les yeux de Mat, les projecteurs, les écrans de Canal Sat. On serait éblouie avec moins que ça. Comme je suis d'un naturel raisonnable, je me répète mille fois : c'est ma voix qui l'intéresse. Ma voix, ma voix, rien que ma voix. Puis mon imagination dérape. Ma rêverie m'emporte dans les coulisses d'une histoire d'amour qui s'écrit contre ma volonté.

Chapitre 5

Le Studio Winger ressemble à un entrepôt désaffecté. Le sol est recouvert d'une poussière rouge, comme si on y avait entassé des briques. Derrière les tôles tiédies par le soleil – en été, ce doit être un four –, je découvre une structure de bois habillée de plaques acoustiques et une cabine de verre isolant. Mat discute avec deux techniciens.

– Pile à l'heure ! lance-t-il

Il sourit, mais ne se lève pas. Du coup, je

freine à mort, car je me précipitais déjà pour lui faire la bise. Entre copains… Mais, visiblement, on n'est pas là pour s'amuser.
Karl, l'un des deux techniciens, va rentrer ma moto, car il paraît que la zone est mal fréquentée. Pendant ce temps, l'autre, Pierrot, m'explique l'usage du casque et des micros. Ça, je sais, merci : j'ai quelques milligrammes d'expérience tout de même.
Mat reste distant, silencieux. Il ne consent à s'approcher de moi qu'à l'instant où je commence un essai de voix. Dans la cabine insonorisée, Karl lève le pouce.
– J'ai choisi quatre textes, dit Mat. Les voici.
Il les a corrigés et tapés.
– « Love Song », d'abord, décide-t-il. Écoute une première fois.
Il fait un geste. La musique jaillit. En reconnaissant la mélodie, je suis sidérée. Cet air composé par Chet, les Golden Eagles l'ont joué à plusieurs reprises, mais sans jamais l'enregistrer. J'attends la fin de l'air pour demander :
– Comment tu as fait ?
– J'ai vu ton copain Éric.
Il dit ça d'un ton neutre, comme si c'était la chose la plus évidente du monde.

– Il ne m'a rien dit.
– Il n'a pas eu le temps. Je travaille là-dessus depuis hier. Nous avons enregistré quatre morceaux.
– Nous ?
– Des copains musiciens. L'orchestration est un peu sommaire, mais pour la sélection ça ira.
Je hoche la tête, impressionnée. Il est si sûr de lui, péremptoire et charmant à la fois, qu'on ne doit pas souvent lui dire non. Les filles comme les musiciens. Il prend un casque et l'installe sur ma tête. Ses mains sont douces.
– Il te suffit de chanter sur la musique. Surtout, suis bien le rythme. À la fin, nous mixerons les deux. O K ?
Dès les premières mesures de « Love Song », il m'interrompt : le tempo, l'intonation, la respiration, la diction, l'émotion, tout y passe. Il recommence tout le temps. Il est impitoyable, infatigable. Et cette tyrannie dure des heures. Dans mon obstination à le satisfaire, je perds la notion du temps. À neuf heures, je redescends sur terre :
– Il faut que je téléphone à mes parents.
Mat me tend son portable.
– Maman ?

– Marlène, mais où es-tu ? Nous commencions à nous inquiéter !
– J'enregistre des chansons, maman. Je t'ai laissé un mot.
– Avec ce musicien ? Pourquoi tu ne m'as rien dit ?
« Ce musicien ! » Merci, petites sœurs. Merci d'avoir révélé ce que je vous avais recommandé de garder pour vous !
– J'allais le faire, maman.
– Marlène ?
Abel, maintenant. Sa voix tremble :
– Je ne suis pas d'accord, tu entends ?
– Mais, papa, ces chansons, c'est important ! C'est une chance.
– Ta chance, c'est le bac !
Il raccroche sèchement. C'est affreusement injuste, car jamais ma passion de la chanson n'a contrarié mes études. Je suis la meilleure de ma classe, avec Céline. J'ai 17 de moyenne en français. Il le sait. Alors pourquoi ? Pourquoi ?
– Des problèmes ? demande Mat.
Je détourne la tête pour dissimuler mes yeux pleins de larmes :
– Mes parents. Il est tard.
– De toute façon, on a terminé.

Sa voix est douce, apaisante. Fini le bourreau de travail. Enfin, pas tout à fait : il pivote vers la cabine et dit à l'interphone :
– Il me faut les bandes demain à huit heures.
– Huit heures du soir ?
– Du matin.
– On est bon pour une nuit blanche ! grogne Karl.
– Ça m'en a tout l'air.
– Merci, bwana, dit Pierrot.
Mat me prend par le bras :
– Nous deux, on va dîner.
Je secoue la tête d'un air désolé :
– Il faut que je rentre chez moi.
– Au point où tu en es... Je te raccompagnerai.
– Mais, ma moto...
– T'en fais pas, dit Pierrot. Ta moto, elle va veiller avec nous autres, les prolos.
– Soigne les bandes, recommande Mat.
– Toi, tes miches ! grogne Pierrot en claquant la porte.
Mat m'emmène dans une pizzeria, « Chez Charlie ». Il y a des nappes à carreaux et des bougies dans de petits socles de verre bleu.
– Je devais partir aujourd'hui, dit Mat. Mais je vais rester quelques jours avec toi.

Il me sert un verre de vin rosé. Surtout pas : je suis assez paumée comme ça. Les flammes éclairent son visage. Comment peut-on être aussi beau ? Chaque fois qu'il m'effleure la main, je frémis comme si ma chair était à vif.
– Il faut qu'on travaille dur, toi et moi.
Toi et moi ; les mots sont troublants, ainsi coordonnés. Il se met à parler de mes chansons. Les mots, toujours les mots. Ceux des autres, Brel, Gainsbourg. La musique. La musique de sa voix. Je pourrais l'écouter toute la nuit.
– Tu n'as rien mangé.
C'est vrai, je n'ai pas touché à ma pizza :
– Tu dois être crevée. Allez, viens, je te ramène.
Il conduit vite. À dix heures du soir, la Porsche met tout juste quelques minutes pour atteindre la maison. Je reste sans bouger, essayant désespérément de trouver les mots pour le remercier de tout ce qu'il fait. Mais, moi si bavarde parfois, je reste muette. J'ai peur, en parlant, de trahir la violence de mes sentiments. Mat fait le tour de la voiture pour ouvrir ma portière. La maison est encore éclairée.
– Tu ne veux pas entrer quelques instants ?
– Pas ce soir.

Un bref baiser sur la joue. Geste de copain. Une discrète odeur de tabac et d'eau de toilette. La Porsche s'éloigne déjà.
La télé marche en sourdine. Abel et Viviane ne sont pas couchés. Je les embrasse tous les deux tendrement. Les bras de Viviane m'étreignent un peu trop fort.
– Désolée, maman.
– Ne refais plus jamais ça, dit Abel. On ne savait pas où tu étais.
« Ça », quoi ? Les chansons ? Les projets ? Ce garçon, sans doute, séduisant et plus âgé que moi ?
– C'est important pour mon avenir, papa.
– Ce n'est pas la question !
Il est nerveux, irritable, très différent du père que j'aime. Certains jours, je ne le reconnais plus.
– Ce garçon, qui c'est ?
– Mat Simons.
Le nom ne lui est pas inconnu. Mais il reste tendu, hostile. Alors, je vais chercher mon cartable dans le hall. Je sors les *Cahiers du Jazz*, empruntés au CDI du lycée. Ils consacrent huit pages à Mat : « L'or du jazz ». Les photos sont superbes. On y voit Mat en compagnie de célèbres jazzmen américains.

– Invite ce garçon à la maison, dit Viviane.
Intérieurement, je fais la grimace, car la présentation officielle à la tribu Armani est une épreuve redoutable. Je doute que Mat soit ravi, mais je ne peux pas refuser.
– Dimanche ? propose-t-elle.
– Je lui en parlerai. Il te plaira, maman. Les chansons que nous avons enregistrées sont super.
Ces derniers mots sont pour Abel. Je lui tends les textes, que j'avais fourrés dans ma poche. J'aimerais lui glisser un mot du concours de Concerto, mais l'instant est mal choisi. Je me contente d'extraire ma dernière dissertation. Gaëlle, ma prof de français, a écrit en marge : « Travail remarquable. Le passage sur la poésie épique, en particulier, restera dans mes annales. »
Gaëlle est chou, mais Abel reste songeur ; ma copie tremble dans sa main.
– Il est temps d'aller se coucher, dit-il.

Chapitre 6

Contrairement à mes prévisions, Mat a accepté l'invitation de Viviane sans hésiter. Il semble content. L'imprudent : il ignore où il met les pieds !
Toujours aussi imperturbable, il a cherché une salle de spectacle pour me permettre de répéter, et il a obtenu le Blue Night. Du lundi au vendredi la boîte est fermée. En échange de quelques concerts, Lou lui a confié les clés. Nous avons accès à la scène et au matériel.

Mat trouve ça tout naturel. Son pouvoir de séduction paraît sans limites. Il demande, on obéit. S'il insistait, je crois bien que saint Pierre lui remettrait les clés du paradis.
Depuis que j'ai annoncé qu'il viendrait, Viviane et Abel me laissent tranquille. Nous pouvons répéter en toute liberté en dehors des heures de cours.
Mat allume tous les projecteurs et les braque sur moi. Je proteste :
– J'en ai plein les yeux !
– Sur un plateau, ce sera pire.
Pour commencer, nous avons écouté les enregistrements. Je les trouve excellents ; Mat, lui, les critique avec férocité. Il ne sait faire que ça. Jamais un compliment. Sur scène, je suis trop statique ; puis je bouge mal. Mon corps doit être plus souple, mes gestes plus déliés. Mon sourire est crispé. Je dois gommer mon accent provençal. Et quoi encore ! Je n'ai jamais eu d'accent ! Les spots me brûlent. J'ai trop chaud, mais interdiction de transpirer : la sueur, c'est pour Johnny. Mat essuie mon front et mes lèvres d'un geste plein de douceur.
À peine la répétition terminée, je dois courir au lycée, faire mes devoirs, m'occuper des

jumeaux... Une vie dingue. Quand je me plains, Mat m'adresse une grimace ironique :

– Attends de goûter à la frénésie des tournées !

Je risque timidement :

– Je ne suis pas encore chanteuse, tu sais.

– Fais comme si tu l'étais.

On est là pour bosser. Pas la moindre pause pour bavarder tendrement, comme l'autre soir chez Charlie. Je n'ai pas encore osé dire un mot à Abel du concours et du voyage à Paris. Superstition. Ma sélection est loin d'être acquise, et je devine que le projet lui déplairait. Ma carrière qui s'ébauche l'inquiète. C'est une illusion dangereuse, le gaspillage des études qu'il a tant de mal à financer...

– Bon, tu es prête ?

La voix de Mat est sévère. Pardon d'avoir rêvé cinq minutes, monsieur le magicien ! Il ajuste chaque geste, chaque mot, stoppe la musique, revient en arrière, tourne autour de moi. Défense de le regarder. La caméra, seulement la caméra ! Du reste, les projecteurs m'aveuglent.

– À Paris, tu n'auras que six jours pour répéter !

Il me voit déjà là-bas. Pour moi, c'est parfaitement irréel. Jamais je n'y arriverai. Je sens que je perds ma personnalité. À force de subir des corrections, chanter n'est plus un plaisir, mais une corvée. Il voit que je suis à bout et me fait grâce. Je m'affale sur une chaise. Il s'installe en face de moi. Une table nous sépare.

– Regarde bien, ordonne-t-il.

C'était trop beau ! Il actionne une télécommande. Derrière la scène, l'écran du Blue Night s'éclaire. De jeunes chanteuses se succèdent, pleines de fraîcheur et de sensualité. Je reconnais Lilyam Massari et Vanessa Venerdé. Mat n'a pas choisi les plus laides. Il commente : ces filles vivent leurs chansons. Même si les paroles ne sont pas toujours à la hauteur, la magie opère. Il ne suffit pas d'avoir une jolie voix, il faut savoir s'en servir. La chanson est une incantation.

Tout à coup, je craque. La fatigue, sans doute. Une petite voix au fond de moi murmure : « Fini pour toi. » Et puis, je suis jalouse de ces nanas, de leur beauté provocante, du regard de Mat posé sur elles. Je détourne les yeux.

– Qu'est-ce qui t'arrive ?

Sales projecteurs ! Il doit voir mes larmes. Ma voix se brise.

– J'en ai assez, Mat. Je te fais perdre ton

temps. Tu vois bien que je suis tarte, coincée ! Inutile d'insister. Je suis moche.
Mat approuve :
– Très moche.
En disant ça, il se penche au-dessus de la table et ses lèvres s'emparent des miennes. Je suis si stupéfaite que je reste sans réaction. Mes yeux s'écarquillent tandis que les mains de Mat enserrent mon visage. Son baiser devient plus profond. Je ferme les yeux. Je sais que je rêve. Je vais me réveiller. Les rêves ne se réalisent pas, pas celui-là en tout cas, un rêve fou, un amour fou. Je reste comme ça, yeux fermés, lèvres entrouvertes. La main de Mat caresse mes cheveux. Sa voix est un peu rauque :
– Tu sais pourquoi je passe une semaine dans ce trou ? Pourquoi j'ai annulé un concert à Rome, et un autre à Londres ? Pourquoi je m'acharne sur toi ?
– J'aime bien ta manière de t'acharner.
J'ai dit ça d'une toute petite voix. Il se met à rire.
– Je veux que tu sois la meilleure, Marlène. Tu entends ? La meilleure. Tu as une voix superbe, et tu écris bien. J'aime tes chansons. Le reste, c'est de la technique, ça s'apprend. On a peu de temps, mais tu apprends vite.

– Merci.
Il parle interminablement de ma voix et de mes textes. Quelques mots sur ma physionomie ne seraient pas malvenus : mes grands yeux noirs, par exemple. Ou mes cheveux qu'il sait si bien caresser. Ou mon corps. Après tout, il parle bien de celui de ces poufs ! Non, pas un mot du mien. Le drame, c'est que ce ne sont pas des poufs, elles sont belles à mourir, ces filles !
Et puis les lèvres de Mat parlent pour lui. Des lèvres douces, savantes, impérieuses. J'ai la tête qui tourne. Ses yeux clairs ont la couleur du ciel au paradis.
– Je te raccompagne.
Fin de la séquence amoureuse.
Mat range le matériel, ferme la porte du Blue Night, conduit sa Porsche avec adresse, m'abandonne devant chez moi, tout étourdie.
Il fait cela avec compétence et autorité, comme pour la musique. Mais je sais reconnaître instinctivement un garçon amoureux, moi qui n'en ai jamais rencontré qu'en rêve.

Chapitre 7

C'est un dimanche comme je les aime, illuminé d'une lumière dorée. Le mimosa est à nouveau en fleur et les rosiers sont pleins de boutons.

« Nous prendrons le café au jardin », a dit maman. Ce « nous » me plaît et m'intimide. Je suis restée à la maison pour aider Viviane à préparer le repas. J'en profite pour lui parler de Mat. Je ne veux pas qu'ils soient trop directs avec lui. Or, Abel est bien capable de

lui demander quelles sont ses intentions. Viviane, je ne sais pas. Les seuls garçons à avoir mis les pieds dans cette maison sont les membres inoffensifs des Golden Eagles et les minets qui tournent autour de Sabrina. Mat, lui, est un homme, et je commence à avoir l'air d'une femme. Notre amour est encore fragile. Pour Mat, je ne sais même pas s'il s'agit d'amour. Pour moi, aucun doute.
Il ne va pas tarder. J'ai le trac, comme à l'instant d'entrer en scène.
Hier soir, après son concert, j'ai rapporté sa guitare et la bande de mes enregistrements. Sabrina et Jona m'ont suppliée de leur faire écouter mes chansons en avant-première. Sans Mat ? Pas question. J'ai rangé la bande et l'instrument dans le placard de la véranda. C'est un grand jour : il s'agit de convaincre papa et de séduire maman. Je compte sur Mat. Il est beau, célèbre, sans complexes…
Tout à coup, je ne suis plus sûre de rien. Pourquoi mon cœur s'affole-t-il ? Je n'entends même pas ce que me dit Viviane.
On sonne. Je me précipite. La maison silencieuse s'est brusquement réveillée. Les jumeaux en haut de l'escalier, Sabrina, Sophie, Jona, un peu partout. Ils font penser aux ani-

maux effrontés, attirés par l'arrivée du prince dans la forêt de Walt Disney. Je les chasse d'un geste, mais aucun ne bouge.

Mat porte une chemise blanche et un costume bleu nuit. Il a une classe folle. Il se penche, m'embrasse sur la joue. Baiser de cousin. Le bouquet de roses qu'il tient à la main ne l'embarrasse pas du tout. Il l'offre à Viviane venue l'accueillir. Puis il distribue des fleurs à toutes les filles : la rouge est pour moi, la blanche pour Sabrina, la rose pour Sophie, dont les joues prennent la couleur de la fleur.

– Je la garderai toute ma vie !

Mat rit gentiment :

– Si tu veux la conserver, il faudra la faire sécher. Je te montrerai comment.

Les jumeaux tournent autour de lui d'un air soupçonneux. Leurs yeux disent : « Célèbre, ce mec-là ? On ne l'a jamais vu à la télé ! »

Abel arrive en dernier, aimable mais froid. Et, tout de suite, la séduction de Mat s'exerce sur lui. Viviane, elle, est déjà conquise. Le charme, la gentillesse et les manières du garçon ont eu raison de sa réserve. Elle est particulièrement jeune et jolie aujourd'hui, Viviane. Elle ressemble à Sabrina.

J'ai dit à Mat que papa est ingénieur aéronautique. Avant d'entrer à Eurocopter, il a travaillé chez Dassault. Mat pilote souvent, et c'est un mordu d'aviation ! Première nouvelle. Leur conversation s'engage aussitôt sur le Rafale, le F114, et elle finit par remonter jusqu'aux chasseurs de la Première Guerre mondiale, les Spitfire de la R A F et les Messerschmidt de la Luftwaffe. Abel est imbattable sur les moteurs et l'aérodynamique, mais Mat possède sur le sujet un savoir qui l'enchante.

Ce n'est pas mon cas. L'apéritif et les trois quarts du repas sont consacrés à ces échanges techniques, sans la moindre allusion à la chanson. Je me sens délaissée. Ce ne sont pas les brefs sourires de Mat qui me consolent. Ces lèvres bavardes qui se sont posées sur les miennes semblent m'avoir oubliée.

Sabrina et Sophie, elles, ne perdent pas une miette de la conversation. Quelle passion soudaine pour l'aviation, petites sœurs ! Ou plutôt pour l'aviateur.

Au dessert, c'est Abel qui change soudain de cap :

– Marlène m'a dit que vous aviez joué avec Jarret.

Mat sourit :

– Avec Jarret, Hawkins, Robertson,

Grappelli… Le jazz est une tribu où on peut jouer en liberté. Peu importe d'avoir un nom, c'est le plaisir qui compte, l'échange, le dialogue. La chanson, c'est différent, plus difficile peut-être. Mais la voix reste le plus bel instrument du monde. Vous savez, monsieur Armani…

– Abel.

Les deux hommes se sourient.

– Vous savez, Abel, Marlène a une voix magnifique, chaude, envoûtante, vraiment unique.

Je sens mes joues brûler. Abel s'est rembruni :

– C'est tellement artificiel, ce milieu ! Toutes les chanteuses se ressemblent, aujourd'hui. On dirait que la beauté compte plus que le talent ; et comme l'électronique peut fabriquer une voix… Et puis ces carrières qui se font et se défont…

Mat hoche la tête :

– Il y a du vrai dans ce que vous dites ; le show biz a ses excès. Mais les faux talents ne résistent pas à ce que Lewis appelle la cruauté des passions.

– C'est cette cruauté qui m'épouvante, dit Viviane en me regardant.

– Que Marlène obtienne d'abord ses diplômes, ajoute Abel.

Mat sourit encore :
– Je suis de votre avis, mais, croyez-moi, la chanson est un vrai métier, difficile, exaltant…
Le visage d'Abel se ferme.
– Si on écoutait Marlène ?
Mat a dit ça très vite, d'une voix douce, et en regardant Viviane.
– Avec joie, dit ma mère.
Mat se lève et prend ma main. Il sourit pour m'encourager. Tout dépend de moi, maintenant.
– Je vais t'accompagner. Tu as ma guitare ?
Sabrina bondit comme si elle n'attendait que ça :
– Je m'en occupe !
Pendant qu'elle gagne la véranda, la famille s'installe au salon. Je reste debout, le dos appuyé à la cheminée.
– « Love Song », murmure Mat.
Sabrina met du temps à revenir. Lorsqu'elle reparaît, je comprends à son air consterné qu'il s'est passé quelque chose d'affreux. Je regarde la guitare : il manque deux cordes ! Des yeux, je cherche les coupables. Inutile d'enquêter longtemps : les jumeaux se sont esquivés. Plus rapide que moi, Abel monte l'escalier. Il ramène aussitôt les plaisantins.

– Où sont les cordes ?
Il les secoue, et ils n'en mènent pas large, car les colères d'Abel sont aussi violentes que rares.
– Je ne savais pas, balbutie Léo.
– Où sont-elles ?
– Sur nos arcs, avoue Ted.
Toute la famille est atterrée. Mais soudain un rire retentit : celui de Mat. Il tente de dire quelque chose, mais n'y parvient pas, il rit trop. Le spectacle est si drôle que les autres finissent par l'imiter, même Sophie, qui était au bord des larmes. Seul Abel conserve son sérieux.
– Petits crétins, un instrument comme celui-là, ça coûte une fortune ! Vous mériteriez…
– Heureusement, il reste les cordes vocales, fait observer Mat entre deux accès de fou rire.
Sa remarque décuple la bonne humeur des autres. Du coup, Abel lâche les jumeaux, soulagés de s'en tirer à si bon compte.
Mat m'adresse une grimace :
– Tu as la bande, au moins ?
– J'y vais ! décide Sabrina.
Quel dévouement soudain, petite sœur ! Je te remercierais volontiers si cet élan n'était pas destiné à montrer tes jolies jambes.

Envol de jupe.
Mat boit son café sur la terrasse. Moi, je m'assieds tout contre lui. Dans le fond, je suis soulagée, car je redoutais ce récital face aux parents. Je n'ai qu'un regret : Abel ne pourra pas écouter Mat dans ses œuvres. Mais le plus pressé est de parler du concours et d'obtenir son accord.
Lorsque Sabrina revient, Abel s'occupe lui-même de la cassette. Il l'introduit avec précaution dans la chaîne numérique et réclame le silence. Signe du destin : l'appareil est un Sony. Malheureusement, au lieu de la mélodie attendue, un son affreux sort des enceintes : bruits de jungle, cris de singe, rugissements de fauve, barrissements d'éléphant.
– Jolie chanson ! plaisante Sabrina.
Je la foudroie du regard, appuie sur la touche « eject », vérifie la cassette. C'est bien la mienne : « Love Song », « Summer Blue », « Eden », « Voyage dans ta solitude ». Quelqu'un a saboté la bande. Sabrina ? Non, ce n'est pas son genre.
– Jonathan ! gronde Abel.
– Je voulais plaisanter.
– Qu'est-ce que tu as fait de la bande ?
– Je l'ai recouverte, avoue Jona d'un air piteux.

– Fiche-moi le camp immédiatement !
– Tu es méchant, dit Sophie au moment où son frère passe devant elle.
Maman me jette un regard navré qui m'exaspère.
– Fin du concert ! annonce Mat en se levant.
– Vous n'allez pas partir ? s'affole Viviane.
Mat sourit gentiment :
– Je suis attendu. Ce déjeuner était excellent, madame Armani. Surtout, ne vous inquiétez pas, la bande n'était qu'une copie, et les cordes d'une guitare se remplacent. En tout cas, j'ai beaucoup ri.
Il se tourne vers Sophie et lui caresse les cheveux :
– Pour la rose, il faut la suspendre toute une semaine, la tête en bas. Tu te souviendras ?
Elle lui adresse un petit sourire crispé. C'est la seule à être désolée. Abel a beau multiplier les excuses, je le soupçonne d'être secrètement ravi. Ma carrière est différée, compromise peut-être. C'est ce qu'il pense, du moins.
J'accompagne Mat jusqu'à sa voiture. Là, à l'abri des regards indiscrets, je laisse éclater ma déception. Il me serre dans ses bras :
– Ne t'inquiète pas, ce n'est pas grave.
Je bégaie :

– Je les déteste !
– Tu les adores, et moi aussi. Tu sais, je n'ai pas eu de famille. Ma mère est morte quand j'avais six ans. Ma demi-sœur vivait en Suisse. Quant à mon père, je le voyais très rarement. J'ai grandi en compagnie de nurses, puis de copains musiciens. Crois-moi : ça ne remplace pas.
Je secoue la tête, désespérée :
– Ils ont voulu m'empêcher de chanter !
Il m'adresse une grimace comique :
– On a fait un bide, il faut bien le reconnaître.
Il embrasse mes lèvres, mon front, mes yeux, mes lèvres de nouveau, en murmurant :
– Mais nous deux, c'est plutôt réussi.
Puis, soudain, il redevient sérieux.
– Demain, sept heures.

Chapitre 8

Mat sourit d'un air énigmatique.
Ce n'est pas sa façon de m'accueillir. D'habitude, on dirait toujours qu'il refoule sa tendresse par crainte de perdre une minute de travail. Comme il tarde à mettre en place l'éclairage, c'est moi qui me charge des projecteurs et le bouscule en imitant sa voix :
– Bon, on commence ?
Au lieu de réagir, il continue à sourire, et moi, je fonds comme une idiote :

– Qu'est-ce que tu as ? Tu es amoureux ?
Il fait non de la tête sans cesser de sourire. Mes lèvres se posent sur les siennes.
– Vraiment ?
Il reste imperturbable, l'air vaguement ironique.
– Tu te moques de moi ?
Il continue à me regarder sans dire un mot. Je hausse les épaules, agacée :
– Bon, eh bien, je m'en vais.
– Demain. Demain matin, tu t'en vas.
Je le dévisage sans comprendre.
– Ils t'ont sélectionnée !
Mon cœur se met à cogner dans ma poitrine.
– Ce n'est pas vrai ?
– Mais si, tu prends le TGV de six heures trente. Tout est organisé.
Il brandit un dossier.
– Si vite ?
– L'émission a lieu dimanche prochain.
– Je n'ai pas d'argent.
Réflexion naïve qui réjouit notre star du blues.
– Tu n'auras aucun frais, tout est financé par Sony : séjour, transports, vêtements, réceptions. Ne t'inquiète pas.
Si, je m'inquiète, justement. Et je dois avoir l'air perdu, car il demande :

– Tu as averti tes parents ?
– Pas encore.
– Alors, c'est la première chose à faire. Tu as besoin de leur autorisation écrite. Voici les contrats et les formulaires à remplir. Tu m'écoutes ? On dirait que tu n'es pas contente !
– Je suis folle de joie.
– Drôle de façon de le montrer.
C'est vrai que je suis heureuse. J'attends ce moment depuis si longtemps ! Mais maintenant qu'il arrive, j'ai la frousse. Je murmure :
– C'est grâce à toi.
– Grâce à toi, Marlène. Toi seule. Tu me plais infiniment, mais ce n'est pas pour ça que je suis là. Tu es née pour être chanteuse. Si je devais être un obstacle à ta carrière, crois-moi, je disparaîtrais aussitôt de ta vie !
– Ne dis pas ça ! Moi, j'abandonnerais tout pour te garder !
Je le serre à l'étouffer, écrase mes lèvres sur les siennes. Mon exaltation l'amuse :
– Si tu réserves ce traitement à tous les organisateurs, ton succès est garanti.
– Idiot !
Il reprend brusquement son sérieux :
– Je viendrai te chercher à cinq heures et demie. Au moindre bobo, ce soir, tu me téléphones.

Je glisse le dossier de participation dans mon cartable.
– Tu es sûre que ça ira ?
– Pas de problème !
En fait, pas un problème, mais deux : Abel et Viviane. Jusqu'à présent, j'ai vécu sur un nuage. Seule comptait mon intimité avec Mat. Le concours était un rêve lointain, un prétexte à mon bonheur. Soudain, tout se précipite. Comment leur annoncer que je vais passer une semaine à Paris, manquer mon contrôle de français à deux mois du bac ? J'aurais dû aborder la question plus tôt. J'ai essayé : quelques allusions, sans insister pour ne pas compromettre la liberté qu'ils m'avaient accordée. C'était une erreur.
Au lycée, je suis absente, un vrai zombie. Lorsque la sonnerie retentit, à cinq heures, je serais bien incapable de répéter un traître mot de ce que j'ai fait semblant d'écouter. Je marche lentement vers la maison, en préparant ce que je vais raconter aux parents. Parler d'abord à Viviane ? Mieux vaut l'annoncer aux deux en même temps. Il me reste trois heures de sursis.
À huit heures, je les retrouve au salon. Abel a l'air épuisé, et les yeux de Viviane sont rougis

comme si elle avait pleuré. Les enfants sont éparpillés dans les chambres. Le moment est propice. Je m'installe à mi-distance des parents, qui se regardent en silence.

– Tu sais, papa, Sony organise un concours destiné à révéler des jeunes talents, des chanteuses. Il a lieu à Paris, ce concours. La gagnante enregistrera un disque et un clip. Ses chansons seront diffusées sur plusieurs stations de radio et trois chaînes de télé. Tu te rends compte ?

Abel me regarde. Non, il ne se rend pas compte. J'ai cru qu'il m'écoutait, mais son esprit était ailleurs. Le téléphone sonne, il bondit :

– Allô ?

Quelqu'un s'excite à l'autre bout du fil. Abel écoute, le front appuyé au mur.

– Tu es sûr ?

– …

– Tout le service ?

– …

– Mais comment on a pu en arriver là ?

Il regarde Viviane, pince les lèvres et tourne le pouce vers le sol. C'est ainsi qu'on sacrifiait les gladiateurs. Viviane s'enfuit. Abel abrège sa conversation et se hâte d'aller la rejoindre.

Je reste seule, avec mon misérable projet, mes rêves de gloire sans intérêt et mon avenir en miettes. Mais le souvenir de Mat me redonne du courage. Je me dirige vers la chambre des parents. À l'instant où je vais pousser la porte, j'entends la voix d'Abel :

– Ils vont dissoudre le service.

Puis la voix de Viviane, étouffée :

– Je croyais qu'ils ne pouvaient pas.

– Moi aussi, mais ils ont pris leur décision, Henry est formel.

– Qu'est-ce que nous allons faire ?

– Rebondir, chercher ailleurs. J'ai conçu le TXT, après tout.

Abel veut paraître confiant, mais Viviane n'est pas dupe :

– Avec six enfants !

Je cours dans ma chambre, ferme la porte à clé et m'effondre sur mon lit. Là, je laisse éclater mon chagrin. Je pense d'abord aux parents. Eux, toujours si forts, si rassurants, je les ai vus blessés, angoissés, désemparés. Je réalise que papa va perdre son emploi. Ce n'est pas la perspective du chômage qui me désespère ; mais son métier d'ingénieur, c'est toute sa vie. Ses amis disent qu'il est le meilleur de sa génération. Sa génération ! Peut-être que

d'autres, plus jeunes, prendront sa place et détruiront tout ce qu'il a conçu avec tant de passion. Cette injustice me révolte.
Je songe aussi à mon espoir déçu. Fini le concours ! Jamais je n'oserais leur annoncer ma sélection. Ce n'est vraiment pas le moment de leur causer une déception supplémentaire. La chance a fait semblant de me sourire pour mieux me laisser tomber.
Je refoule mes larmes et compose le numéro de Mat.
– Mat ? J'abandonne !
– Qu'est-ce que tu abandonnes ?
– Tout : le voyage, le concours, ma carrière, sans doute.

Au bout du fil, un long silence.
– Mat ?
– Tu ne vas pas faire ça !
– Si tu crois que c'est pour mon plaisir !
Ma voix est bouleversée, la sienne glaciale.
– Tu ne peux pas, Marlène. C'est trop tard, je me suis engagé. Si tu ne pars pas demain, le concours n'aura pas lieu. Il est trop tard pour reculer, tu entends ? Demain, je serai là à cinq heures et demie, comme prévu. Je t'attendrai. Si tu ne viens pas, tant pis pour toi !

Il raccroche brutalement. Je rappelle aussitôt, mais il a coupé son portable. Comment peut-il être aussi dur, alors que j'ai besoin de lui, tellement besoin ? Je me sens seule, sans personne à qui confier mon chagrin. Et une douleur encore plus violente s'insinue en moi : je vais perdre Mat !

Ça, je ne le supporterai pas. Au début, j'ai été attirée par lui, fascinée par sa beauté, toutes les filles doivent l'être. Mais, maintenant, mes sentiments sont plus profonds. Je suis amoureuse, éperdument, désespérément amoureuse. Je ne saurais plus vivre sans lui. Ma décision est prise : demain, quoi qu'il arrive, je partirai. Ma chance, je ne la laisserai pas passer, ça non ! Je me battrai de toutes mes forces, aux côtés de Mat. Et, si je réussis, j'aiderai mes parents. C'est bien mon tour, après tout ce qu'ils ont fait pour moi !

Cette perspective renforce ma résolution. Toutefois, elle me condamne à désobéir. Je ne peux plus demander leur autorisation, car un refus briserait définitivement mes chances. Je prends une feuille de classeur et commence à écrire :

« Mes chers parents,

Quand vous lirez cette lettre, je serai à Paris.

J'ai été choisie pour participer à un grand concours, dont le résultat décidera de ma carrière. J'ai tenté de vous le dire, mais vous étiez distraits. Des problèmes beaucoup plus graves vous tourmentaient. Malgré moi, j'ai surpris votre conversation. Je suis triste pour toi, papa. Pour toi aussi, maman. Je vous supplie de ne pas vous inquiéter à mon sujet. J'ai seize ans et je sais ce que je fais. Vous m'avez appris à affronter la vie. Ce projet, ce n'est pas un rêve de gamine, c'est le moyen d'apprendre un métier et de l'exercer pour satisfaire mon ambition de toujours.
Mon absence va durer une semaine. Je vous appellerai chaque jour. Je joins à ma lettre les documents du concours et des émissions télévisées. Les organisateurs sont Sony, Concerto, Canal +, et Mat, bien sûr. Mat que j'aime passionnément.
Tu m'as dit un jour, papa : « Quand on veut vraiment quelque chose, dans la vie, on finit toujours par l'obtenir. » Tu es devenu ingénieur, je serai chanteuse. Tes avions voleront toujours plus vite que ma carrière, mais j'essaierai de monter aussi haut que toi.
Je vous aime.
Marlène. »

Chapitre 9

Je n'ai pas fermé l'œil. Pas un seul instant.
À cinq heures, je descends dans l'obscurité, comme une voleuse. La maison est encore endormie. Je dépose ma lettre sur la table de la cuisine. Ensuite, je déverrouille la porte d'entrée. En traversant le jardin, je m'applique à marcher sur l'herbe pour ne pas faire crisser le gravier de l'allée. Dans la rue, j'attends Mat, assise sur mon sac. Quelques minutes à peine, car il est en avance.

Il m'ouvre la portière :
– Tu m'as fait peur.
Jamais je n'ai perçu une telle douceur dans sa voix, dans ses yeux.
Il démarre. Durant le trajet, je peux enfin me délivrer. Je lui raconte tout : le licenciement d'Abel, l'anxiété de Viviane, l'impossibilité de leur annoncer mon départ, ma lettre, ma fugue.
Il m'écoute sans rien dire. J'essaie de détendre l'atmosphère :
– Dix sous pour tes pensées !
Il dit seulement :
– Tu as bien fait.
Mais je le sens soucieux. Nous restons silencieux jusqu'à la gare. Là, il se détend :
– À partir de maintenant, tu vas oublier tout ce qui vient de se passer. Tu ne dois plus penser qu'à une seule chose : le concours. Dis-toi que tu peux gagner si tu le veux vraiment. Voici ton billet. À la gare de Lyon, Sylvie Granay t'attendra. C'est l'assistante de mon père, une femme super. Elle s'occupera de tout.
– Tu ne viens pas avec moi ?
Devant mon air paniqué, il me serre dans ses bras :
– Je te rejoindrai en voiture, demain, ou après-demain.

– Je croyais…
Il n'a jamais promis qu'on voyagerait ensemble, mais pour moi c'était évident. Sans lui, je suis perdue.
Toujours organisé, il me remet une liste d'adresses : la sienne, pour commencer – rue Dauphine – celles de Concerto et de Sony, et enfin celle de la Villa des Artistes, où je vais loger. Un nom qui promet !
– Dans cette enveloppe, précise-t-il, tu trouveras de l'argent, en cas de besoin.
Il m'installe dans le TGV, hisse mon sac sur la tablette du compartiment. Plusieurs filles sont déjà là, genre étudiant. Elles dévorent Mat des yeux. Il se penche vers moi, m'embrasse longuement et murmure :
– Je t'aime.
C'est la première fois qu'il le dit. Je m'accroche à son cou, comme une noyée :
– Viens vite.
– Promis.
Il s'en va. À travers la vitre, j'aperçois le parking éclairé. La Porsche démarre sur les chapeaux de roues. J'aurais aimé voyager en voiture avec lui. Le jour se lève ; c'est un soleil de vent, rouge et noir. À l'heure qu'il est, maman a dû trouver ma lettre. J'imagine sa

stupeur, la colère de papa. De toute manière, il est trop tard. J'ai forcé le destin. Du moins, j'essaie de m'en persuader.

J'ai emporté trois livres inscrits au programme du bac. Je lis *Madame Bovary*, en prenant des notes. Le roman me passionne au point de me faire oublier un peu ma solitude. Je ressemble peut-être à l'héroïne. Emma s'évadait dans des vies imaginaires. Moi, je m'invente une carrière de chanteuse. Comme elle, je fais du mal à ceux que j'aime, par inconscience, par égoïsme.

À cette pensée, ma gorge se serre. Puis je songe à Mat. Lui a cru en moi depuis le premier jour. Pour s'occuper de moi, il a annulé ses concerts, joué au Blue Night, organisé sa vie autour de la mienne. Il a modifié mes chansons, orchestré les mélodies, fait de moi, je crois, une vraie chanteuse. Je n'ai pas le droit de le décevoir.

Mon métier nous permettra de vivre ensemble. J'habiterai Paris, rue Dauphine. Je voyagerai avec lui au bout du monde. J'imagine des scènes d'amour fou, des fuites éperdues devant les journalistes indiscrets.

Heureusement, le voyage en TGV n'est pas long, ce qui m'empêche de délirer davantage.

Chapitre 10

« Mademoiselle Marlène Armani est priée de se présenter au bureau d'accueil ! »
Le haut-parleur de la gare de Lyon déraille un peu. Je me dis : « Mieux vaut la sono que le train ! » Ma fatigue s'est envolée, mes idées noires aussi. Je suis surexcitée. Du calme !
« Mademoiselle Marlène Armani... »
Déjà célèbre !
Sylvie Granay se rue sur moi comme une guêpe. C'est une petite femme ronde, rieuse et

bourdonnante. Moi qui croyais être nerveuse ! Elle s'empare de mon sac, me pousse dans sa Clio garée sur le trottoir, tapote amicalement l'épaule du contractuel occupé à la verbaliser et démarre en coinçant une file de taxis vociférants. Tout en se faufilant au milieu de la circulation, d'une main elle tient le volant, et de l'autre me montre les éléments du planning qu'elle a posé sur mes genoux. Répétitions, cocktails, enregistrements, interviews... J'en ai le vertige !

Au feu rouge, elle pile, se tourne vers moi :

– Tu es ravissante !

Pas le temps de remercier, la Clio est repartie, les commentaires aussi. Je m'y perds. Heureusement, tout est indiqué, heure par heure. Les cinq autres candidates sont déjà là. Je suis la dernière.

– Pour l'instant, précise Sylvie en riant.

Provisoirement, mon appréhension a disparu. Je sais qu'elle reviendra, mais je me sens à l'aise. Je bavarde avec ma guêpe, et nous rions comme des folles. Elle semble m'apprécier. Je prends l'air détaché pour demander :

– Tu as des nouvelles de Mat ?

Son sourire m'indique qu'elle se doute de mes sentiments. Pour éviter de répondre à ses ques-

tions, je la bombarde des miennes jusqu'à notre arrivée.
La Villa des Artistes est, en réalité, un hôtel situé dans une rue paisible du quartier Montparnasse. Ma chambre donne sur un jardin aux murs recouverts de tonnelles en trompe-l'œil et de lierre. On se croirait dans une petite ville de province, la maison d'un notaire, au charme désuet. Mais le plus merveilleux se trouve sur ma table de nuit. Un message de Mat : le rappeler d'urgence.
– Mat ?
– Tu as fait bon voyage ?
– Tu me manques.
J'entends son rire moqueur :
– Tu n'auras guère le temps de penser à moi, petite star. C'est Richard qui va te lancer dans le monde et Stan qui te fera répéter.
Richard et Stan, ces noms me sont familiers : ils figuraient sur mon planning.
– Pourquoi pas toi, Mat ?
– Stan est formidable, il va te plaire. Un sacré chanteur. J'ai confiance en lui, il sait que tu dois rester comme tu es.
– Comment je suis, Mat ?
Silence. Puis :
– Très moche, tu le sais bien.

Sa voix tendre me rappelle le jour où il m'a embrassée pour la première fois. Comme je reste muette, il demande :

– Tu es heureuse ?

– Non.

– Qu'est-ce qui ne va pas ?

– Besoin de toi.

Je perçois des bruits de moteur. Il doit être au volant de sa Porsche, le portable calé contre l'oreille gauche. Je supplie :

– Tu ne peux pas t'arrêter ? Ce serait plus romantique.

Il se met à rire. Le moteur gronde de plus belle, la vitesse l'éloigne de moi. On dirait toujours qu'il veut imposer un rythme à sa vie comme il le fait à sa musique, éviter de perdre le contrôle de son cœur.

– Tu es en route ?

– Du côté d'Antibes.

– Je ne te verrai pas demain ?

– Après-demain.

Surtout, ne pas le supplier. Je murmure :

– Alors, bon voyage.

J'attends un mot gentil. Il dit seulement :

– Appelle tes parents, Marlène.

– Je sais.

Le téléphone n'est vraiment pas fait pour les

mots d'amour. La communication est soudain interrompue. Il a dû entrer dans un tunnel. J'ai l'impression d'en faire autant. Sans Mat, tout est sombre dans cette ville et dans mon cœur. Solitude. J'ai chanté ça, dix jours auparavant. Je prends une grande inspiration et appelle la maison. Le répondeur. Soulagement de laisser un message au lieu d'affronter les reproches de Viviane.

La quiétude de ma chambre me suffoque. Je descends au salon. Je suis à peine arrivée qu'une fille m'accoste :

– Marlène ? Je suis Ava, je participe à l'émission Clair de stars, comme toi, je crois. Quel plaisir de te rencontrer !

Elle est sincère. Son sourire est gentil, son visage d'une grande finesse, avec des yeux de Chinoise, une peau de porcelaine. Ses hanches sont un peu trop fortes. Dommage ! Pas moyen de m'empêcher de la considérer comme une rivale.

Contrairement à moi, Ava n'attache aucune importance au concours. Tandis que nous faisons connaissance, une créature imposante s'approche de nous.

– Ma mère, Martha Weber, glisse Ava en interrompant son bavardage.

La dame sourit, mais sa bouche est dure et ses

yeux d'un gris métallique m'examinent sans indulgence. Du coup, je rajoute deux tonnes à mon amabilité forcée :

– Quelle chance tu as d'avoir ta maman pour te tenir compagnie !

Ava prend l'air désolé :

– Tu es toute seule ?

Comme j'acquiesce, elle propose :

– Tu ne veux pas faire un tour ? On étouffe, ici.

Sans attendre la réponse, elle m'entraîne.

– Ton manteau ! N'attrape pas froid ! lance sa mère.

Ava saisit le vêtement au vol et on s'enfuit. Nous dégringolons les rues vers le jardin du Luxembourg. Une fois hors de vue, Ava écarte les bras, en criant :

– Libres ! Enfin libres ! Libres !

Nous rions, débarrassées toutes les deux de la tension qui pèse sur nous.

– Tu ne connais pas ta chance d'être indépendante ! soupire Ava en s'effondrant sur un banc du jardin.

Comme je fais la moue, elle constate :

– Tu n'as pas l'air ravie de jouer à la star !

– Au contraire, j'ai toujours rêvé d'être chanteuse.

– Pas moi, dit Ava.
Je la regarde, ahurie :
– Alors, pourquoi tu te présentes ?
– Une idée de ma mère.
– Tu veux dire qu'elle t'*oblige* ?
Ava plisse le nez d'un air comique.
– Martha Weber a toujours voulu devenir chanteuse. Comme toi !
J'éclate de rire, mais Ava prend un petit air mélancolique :
– La musique, j'aime, surtout l'opéra. Rassure-toi, je ne me prends pas pour Cecilia Bartoli. Mais je ne supporte pas de m'exhiber en public. Et puis, je n'ai pas un look de chanteuse. Maman s'entête, elle pense que chanter en public me donnera de l'assurance. Moi, ce qui m'intéresse, c'est le dessin, les fresques, le *map painting*. Un jour, je peindrai peut-être les décors de ton spectacle. C'est quoi, ton style ?
– Le blues, mais j'évolue vers la chanson d'amour.
– Princesse de la Belle au bois dormant, je te vois très bien.
– Tu te fiches de moi !
– Un peu, avoue Ava d'un air contrit. Je ne peux pas m'en empêcher, mais seulement avec les filles plus belles que moi. Et toi, franche-

ment, tu exagères ! J'espère au moins que tu chantes faux.

– Comme un canard.

– Alors, tu es pardonnée, dit Ava avec un petit rire. Bon, il faut rentrer, on gèle dans ce bled !

Nous regagnons l'hôtel en courant et faisons irruption au salon, les joues rouges et les cheveux dans les yeux, sous l'œil courroucé de Martha.

Chapitre 11

Stardust, l'auditorium qui nous accueille, ne ressemble pas du tout au Winger, où j'ai enregistré mes premières chansons. Trois techniciens m'observent d'une cabine haut perchée. C'est le grand luxe; pourtant il n'a pas la magie de l'autre, car Mat est loin de moi. Stanley remplace celui que j'aime. Il vient du Liberia, un pays d'Afrique. Son aspect est impressionnant: il doit mesurer deux mètres et peser cent vingt kilos. Dès les premiers ins-

tants je découvre, sous cette masse colossale, un être sensible et délicat.
Nous écoutons ensemble les premiers enregistrements, puis une nouvelle version, purement musicale, très bien orchestrée. Après quoi, Stan m'équipe d'un casque et d'un micro, et je commence à chanter. Je pense à Mat. Les mots sont pour lui. Le ciel a la couleur de ses yeux… Stan, casqué comme moi, semble endormi. Seul le balancement de son corps prouve qu'il écoute. Quand j'ai fini, il sourit :
– C'est bien. N'oublie pas que, sur scène, tu n'auras pas le play back, mais un véritable orchestre. C'est ta voix qui commande.
– Alors pourquoi on ne répète pas avec l'orchestre ?
– Quarante musiciens, tu sais combien ça coûte ?
Quarante ! Je suis sidérée. J'espère que leur sono est au point.
– Moi qui trouvais que mes copains faisaient trop de bruit !
– Ils étaient combien, tes copains ?
– Trois.
Il rit si fort que son fauteuil gémit et craque comme du vieux bois.

– On aimerait bien rigoler, nous aussi, dit l'un des techniciens dans l'interphone.
Je m'aperçois que la cabine est pleine d'inconnus.
– On reprend, dit Stan.
J'oublie ceux qui m'observent. Stan est coupé du monde, comme moi. La musique nous enveloppe et nous protège. Contrairement à Mat, il ne m'interrompt jamais. S'il a quelque chose à me dire, il attend la fin de la chanson. Il m'encourage et me libère. Il me semble que j'ai fait ça toute ma vie.
– C'est bon pour moi, dit Stan.
Je redescends sur terre. L'heure est finie, je ne l'ai pas vue passer. Je pose ma main sur l'épaule de mon entraîneur (c'est le nom qui convient) et le remercie.
– Merci à toi, petite varinya.
– Varinya ?
Stan n'a pas le temps de répondre. Trois hommes envahissent la salle.
– Je suis très satisfait.
Celui qui parle ainsi en prenant ma main entre les siennes a une cinquantaine d'années. Il me fait penser à mon père. Je lis dans ses yeux le même plaisir que celui d'Abel le jour où je lui ai montré ma dissert sur Shakespeare.

– Ronald Simons, dit-il.
Le père de Mat en personne ! Il a droit à mon plus beau sourire. Les deux autres personnages se ressemblent : jeunes, élégants, bronzés, brillants, à peine condescendants.
– Richard Berthaud.
– Samuel Donner.
Ce sont les hommes de Sony. Des professionnels. Leurs yeux m'examinent comme un produit. Ils n'ont pas l'air trop mécontents de la marchandise.
– Comment ça se présente ? demande Richard.
– Tu as entendu comme moi, répond Stan avec nonchalance.
– Toi, quel est ton avis ?
– Mat a toujours eu du flair.
– Ces chansons, d'où viennent-elles ? demande Samuel.
Stan me questionne d'un geste muet.
– Trois d'entre elles sont de moi.
– « Love Song » ?
– Oui.
Richard et Samuel échangent un bref regard.
– On a les contrats ?
– Pas pour ça, dit Ronald.
Richard me saisit le bras et fait semblant de m'enlever.

– Je l'ai vue le premier.
Tandis qu'ils plaisantent, le téléphone de Stan se met à vibrer. Il se retire dans un coin et converse à voix basse. Quand il a fini, il nous pousse dehors.
– Bon, vous êtes bien gentils, mais je bosse, moi.
Au dernier moment, il me retient.
– C'était Mat. Il voulait savoir comment s'était passé l'enregistrement, je lui ai dit beaucoup de mal de toi.
Je me force à sourire. Mat aurait pu me dire un mot.
À l'hôtel, aucun message. J'essaie de lui téléphoner, mais son portable est coupé. Je ne sais même pas s'il vient demain. On dirait qu'il n'y a que la musique dans sa vie. Dans la mienne aussi, du reste. Au milieu des autres, j'oublie ceux que j'aime.
Il commence à pleuvoir sur le jardin. La Villa des Artistes est transie.

Chapitre 12

Sylvie est venue nous chercher de bonne heure. Dans la Clio, Ava se serre contre moi et se met à bavarder à voix basse, car Martha nous escorte. Elle épie nos gestes, surveille nos paroles, se mêle de tout. Sylvie fait preuve d'une patience angélique à son égard.
La journée est consacrée à notre look. Nous sommes «redessinées», façonnées, grimées, déguisées, avec un art qui n'a rien de spontané. Le style de chacune a été défini, et la manière

dont notre personnalité évolue me fait penser au conte de Rachid Faralhi où les voiles, les coiffes et les chaussures offerts par le magicien à la jeune princesse prennent possession de son corps.

Avenue Montaigne, un célèbre couturier nous habille.

– Dis donc, on n'est pas n'importe qui, roucoule Ava en se pavanant comme une richissime héritière.

Les vendeuses qui s'affairent autour de nous doivent être fatiguées de sourire, en fin de journée. Ava touche à tout. Martha fait la fine bouche. Je chuchote :

– Nous ne sommes que deux. Et les autres ?

– Chez Tati, dit Ava. Ici, c'est réservé aux vedettes.

Elle se drape dans une sorte de sari de soie tissé de fils d'or, qui doit coûter une fortune à en juger par les frissons des vendeuses.

Sylvie nous entraîne prudemment au rayon ado. Tout est programmé : Ava est transformée en garçonne, moi en fille sage. Il y a des robes beaucoup plus marrantes, mais pas touche ! Martha semble satisfaite : les tenues d'Ava ont de la classe. Je le lui dis, elle prend l'air snob :

– Ces gens-là ne connaissent pas leur chance.

Ils pourront dire un jour : j'ai habillé Ava Weber. Mais pour la pub, il faudra négocier avec mon agent !
Nous rions comme des gamines sous les yeux amusés de Sylvie et ceux, exaspérés, de Martha.
Les vendeuses concluent : quelques retouches, livraison demain matin. Deux tailleurs pour Ava, deux robes pour moi. L'une, décontractée, est destinée aux cocktails ; l'autre, habillée, est réservée au grand soir.
Après quoi, séance de coiffure et de maquillage. Si Sabrina pouvait me voir, elle serait verte de jalousie. Trois personnages raffinés volettent autour de moi, légers comme des oiseaux. Les ongles, les cils, les sourcils, la peau, les cheveux, tout y passe. Le miroir reflète une fille ravissante qui rappelle l'aînée des Armani. Bonjour, Marlène.
Mais c'est Ava qui est stupéfiante, avec ses cheveux courts, son visage délicat, ses ongles bleu marine, couleur de son costume. Je lui souris :
– Fascinante !
– Fascinant ! rectifie-t-elle.
Elle joue au mec, m'enlace et me balade le long du boulevard du Montparnasse jusqu'à

notre hôtel. Martha, qui trouve la comédie de mauvais goût, entraîne sa fille vers leur chambre. Je reste seule.
La réceptionniste de l'hôtel me tend un fax. Mat, peut-être ? Non, c'est Abel :
« Maintenant que tu es à Paris, ne pense plus qu'à ton concours. Nous sommes tous avec toi. Papa. »
Je m'enfuis dans ma chambre en serrant le précieux papier contre mon cœur, et je me mets à pleurer, je ne peux pas m'arrêter. Lorsque je suis calmée, je compose le numéro de la maison. Le répondeur, encore. Je laisse un bref message : « Papa, je t'aime. »

Chapitre 13

Nouvelle répétition. Cette fois, je passe la matinée tout entière au Stardust. Ainsi, je peux faire connaissance avec les autres candidates. Ava a une jolie voix, mais un peu frêle, et elle chante d'une manière impersonnelle, qui ne convient pas au style de ses chansons. Stan répète inlassablement ses indications, et Ava les néglige avec une indocilité qui frise la provocation.

– Avec lui, j'ai l'impression d'être dans la

main de King Kong, soupire-t-elle pendant une pause.

Je fais remarquer :

– Dans le film, la belle séduit la bête.

– Dans la vie aussi, qu'est-ce que tu crois ?

Incorrigible Ava !

Quand vient mon tour, elle me glisse un dessin dans la main. On y voit le réveil d'une Belle au bois dormant qui me ressemble comme une sœur. Le prince charmant chatouille la Belle, dont les jambes nues gigotent en l'air d'une façon indécente. Je montre le poing à Ava, elle me tire la langue.

Les autres candidates sont moins amusantes. Trois d'entre elles se prennent pour des vedettes et nous considèrent de haut. Elles imitent les chanteuses à la mode : l'une, Vanessa Paradis, la deuxième, Britney Spears, et la troisième, Christina Aguilera.

– Il en manque une !

– Celle-là, elle m'aura entendue chanter, chuchote Ava. Elle a compris qu'elle n'avait aucune chance.

Mais celle qui surgit en coup de vent, à l'instant où nous nous préparons à quitter le studio, n'a peur de personne, surtout pas d'Ava. Très star, elle laisse glisser son manteau sur ses

épaules nues au milieu de l'auditorium. Ava émet un sifflement entre ses dents :
– Dis donc !
La jeune personne est moulée comme une nageuse d'*Alerte à Malibu*. Son visage ravissant respire la fraîcheur et l'innocence. D'un geste gracieux, elle repousse ses cheveux blonds, coiffe son casque, fait signe à la technique et commence à chanter, sans autre préliminaire. Elle a une voix chaude, sensuelle. Son corps accompagne la chanson. Il émane d'elle une extraordinaire féminité, et sa voix nous envoûte. Même Ava en reste muette.
– Bravo, Anny, dit l'un des techniciens lorsque la chanson s'achève.
– Eh bien, on sait au moins qui va remporter le gros lot, soupire Ava.
Je suis de son avis : cette fille nous enfonce toutes. On voit d'un seul coup d'œil que ce n'est pas une novice dans mon genre ; elle a de l'expérience ; une vraie pratique de la scène. En outre, elle est sûre d'elle, malgré l'air concentré avec lequel elle écoute les conseils de Stan.
– Il n'y a plus que le test de dopage qui peut nous sauver, plaisante Ava d'un ton diabolique. Tu n'as pas des fois quelques doses d'amphé-

tamine pour les verser dans son champagne, le jour J ?
Je me mets à rire. Pourtant, je devrais être morose, car Anny est le genre de fille à laquelle je voudrais ressembler : belle, surdouée, sans complexes.
Tandis que je l'admire, un nouveau personnage fait son entrée. Mon cœur s'affole. Mat, enfin ! Comme je me tiens au fond de la cabine, il ne m'a pas remarquée et il poursuit son chemin. Je m'élance vers lui. Dans ma hâte, je m'empêtre dans les fils.
– Eh, Brutus ! grogne un technicien.
Le temps que je me libère, Mat a ouvert la porte du studio.
– Mat !
Ce n'est pas moi qui ai crié, mais Anny. Un cri de plaisir, qui me fait ravaler le mien. Mat ouvre les bras, Anny se précipite et se presse contre lui. Freinée dans mon élan, je me fige au seuil de la salle. Mat murmure quelques mots à l'oreille de la beauté blonde, qui étouffe un rire sur son épaule.
Au beau milieu de cette scène qui me déchire le cœur, Mat croise le regard de Stan, ou bien il sent ma présence, car il se retourne et me sourit. Je m'enfuis.

– Marlène !

Il me rattrape dans le hall du Stardust.

– Où vas-tu ? Moi qui ai franchi le mur du son pour te rejoindre !

Je lui tourne le dos. Ce n'est pas ce mur-là qui nous sépare.

– Tu es fâchée ? Tu as un nouvel amoureux ?

La colère m'emporte :

– Ça te va bien de dire ça !

Je me mords les lèvres. Ma fierté m'empêche de lui parler d'Anny. Et lui, au lieu de se justifier, il éclate d'un rire qui change ma rage en dépit.

– En plus, tu te moques de moi !

Il rit de plus belle, me serre dans ses bras, couvre mon visage de baisers.

– Tu m'as manqué, tu sais.

Menteur ! Sale menteur ! Je suis sûre qu'il dit ça à toutes les filles, et elles craquent comme moi. Pauvres gourdes ! J'aimerais lui résister, le repousser, mais ses lèvres se posent sur les miennes. Je ferme les yeux. Malgré moi, j'oublie qu'il a fait les mêmes gestes avec une autre. Il murmure :

– Idiote ! Tu sais bien que je t'aime.

Je croyais le savoir, mais ma certitude s'est envolée. Anny est si belle, si désirable ! J'attends qu'il me dise qu'elle n'est qu'une copine, un ancien flirt ; mais pas un mot. Il se contente de m'observer d'un air moqueur.

Je le déteste, je le déteste ! Je l'aime.

– Stan est très content de toi.

Je me fiche de Stan, et je maudis Ava, qui me frôle en fredonnant les paroles de « Love Song » : « Quand je faiblis dans tes bras. »

– Viens !

Il me conduit dans un petit restaurant, m'installe à une table isolée, me regarde avec tendresse. Ce regard, je l'ai attendu, j'en ai rêvé nuit et jour. Mais ma jalousie ne me laisse aucun répit. Ce qui me torture, c'est sa nonchalance. On dirait qu'il ne s'est rien passé.

Il m'explique le déroulement de l'émission. Celle-ci sera enregistrée dimanche, puis diffusée en différé. Mais l'enregistrement se fera sans raccord, comme un vrai direct.

– Tu ne m'écoutes pas ?

– Mais si.

S'il savait comme je me fiche de ma carrière, maintenant ! Ma vocation, c'est lui, lui seul. Je ne suis pas faite pour la vie d'artiste, les relations éphémères, les passions sous les projecteurs. Je crois au grand amour, moi, et cet amour est gravé dans mon cœur, pour toujours, quoi qu'il arrive.

Chapitre 14

Le lendemain, je me réveille de très bonne heure. Il fait encore nuit. La pluie résonne sur les tables métalliques du jardin. Mon cœur est aussi lourd que le ciel. Comme il me reste des heures à attendre, j'écris aux miens. Ils me manquent beaucoup. Je leur raconte ma nouvelle vie : les séances quotidiennes chez le coiffeur et l'esthéticienne, les robes, les dîners, les réceptions, les répétitions, le plaisir de chanter, la gentillesse de Stan, l'amitié d'Ava, la beauté d'Anny. Pas un mot sur Mat : mon humeur mélancolique me trahirait. Sept pages, un chapitre pour chacun. Puis, comme il me reste du temps, j'écris d'un trait une chanson que j'avais dans la tête : « La fille qui parle avec les étoiles ». C'est pour Sophie.

Le temps de me préparer, Sylvie est là, piaffant dans le hall. Aujourd'hui, conférence de presse. Je l'avais oubliée, celle-là !

Richard Berthaud et Samuel Donner nous attendent chez Angelina, rue de Rivoli. Le cadre un peu désuet du salon de chocolat a un charme fou. Je cherche Mat, mais il a de nouveau disparu. Pas d'appel, ni de message. J'ignore tout de sa vie, en dépit de nos séquences amoureuses bien brèves.

Les journalistes arrivent les uns après les autres. Je redoutais l'épreuve des interviews, mais, étrangement, la tristesse qui m'étreint me libère de ma timidité. J'observe les autres filles. Anny fait du charme, elle est très forte pour ça. Les trois stars en herbe donnent des réponses banales à des questions stupides. Ava amuse la galerie.

– Vous aimez chanter ? lui demande un journaliste.

– Et vous ? réplique l'incorrigible.

– Moi, je ne me présente pas à Clair de stars.
Ava prend un ton confidentiel pour dire :
– Moi non plus, mais ne le répétez à la dame en noir, là-bas, c'est ma mère.
Pendant ce temps, je reste sagement dans mon coin. Une journaliste s'approche de moi. Elle est jeune, hésitante, l'air d'une stagiaire. Je lui souris.
– Et vous, mademoiselle… Armani, c'est bien ça ? Que ferez-vous si vous êtes lauréate du concours ?
– Je commencerai une carrière de chanteuse, mais sans interrompre mes études.
– Votre vie sera bouleversée.
Je souris encore :
– Pas trop, j'espère. J'adore ma vie.
Ensuite, je ne sais pas pourquoi, à cause de la gentillesse de la jeune femme peut-être, je me mets à raconter mon existence comme si je parlais à une amie d'enfance : Abel, Viviane, les jumeaux, Jonathan, Sophie, Sabrina, les chahuts, la tendresse, la complicité. Je ne peux plus m'arrêter. Ils me manquent tous tellement. Le sujet doit m'inspirer, car d'autres rejoignent celle qui m'interviewe. Bientôt, ils sont cinq autour d'elle à m'écouter en silence. Une étrange émotion

me relie à ces gens blasés. Richard et Samuel se sont rapprochés aussi. Leur présence me trouble.

– Excusez-moi, je me suis emballée.

– Pas du tout, c'était bien, vraiment, dit la jeune femme.

Elle consulte son dossier de presse :

– Je lis que vous écrivez vos chansons.

– C'est exact.

– Je peux voir ?

Elle s'adresse à Richard, qui secoue la tête :

– Dimanche, au cours de l'émission.

Ils me regardent tous avec bienveillance. J'ai l'impression d'avoir été nulle avec mes histoires de famille. Le clin d'œil que m'adresse Samuel Donner ne contribue pas à me rassurer. Du coup, je ne suis pas très en forme pour ma répétition. Stan me dévisage, perplexe :

– Qu'est-ce qui t'arrive, petite varinya ?

– Je te répondrai quand tu m'auras expliqué ce qu'est cette varinya.

– Une étoile, dit Stan. Dans mon pays, on appelle comme ça l'étoile du matin.

Je concède avec un pâle sourire :

– C'est joli.

– À ton tour, maintenant !

Il coupe le micro qui nous relie à la cabine. Je

lui raconte que j'ai loupé mon interview, mais il ne marche pas :
– Tu voudrais me faire avaler que c'est une journaliste qui a noyé ces jolis yeux ?
Je hausse les épaules, vaincue :
– C'est Mat.
– Qu'est-ce qu'il t'a fait, Mat ? Il est amoureux de toi, non ?
– Je le croyais, mais tu l'as vu, hier, avec cette fille.
– Quelle fille ?
– Anny.
Il écarquille les yeux, puis il se met à glousser. Il grogne, il explose de rire. J'ai droit à un spectacle complet : battements de mains, barrissements de joie, craquement du fauteuil. Il m'exaspère.
– Arrête !
Il gémit, s'essuie les yeux.
– Alors, comme ça, tu ne sais pas qui est Anny ?
– Je devrais savoir quoi ?
– Que c'est sa sœur.
– Sa sœur ?
– La petite sœur de Mat, oui, Annabel Simons. Nom de scène : Anny.
J'ai l'air stupide, mais je m'en moque, je suis

trop heureuse. Sortant en hâte mon mouchoir, je laisse tomber un papier plié en quatre. Stan le ramasse.
– Lettre d'amour ?
– C'est une chanson, pour ma petite sœur.
– « La fille qui parle avec les étoiles », lit Stan. C'est joli, ça.
Je veux reprendre mon texte, mais il retient ma main et poursuit posément sa lecture. Tout en lisant, il fredonne à voix basse, puis il dit :
– Tu me la laisses ?
– Pour quoi faire ?
– Une mélodie.
– Le texte n'est pas au point.
– La mélodie non plus.
Je hoche la tête en riant. Après tout, je lui dois bien ça.

Chapitre 15

Il faisait si beau, ce matin, que je suis venue au studio à pied. Il est huit heures, et personne n'est encore là. Les femmes d'entretien s'activent, passant d'une pièce à l'autre. L'une d'elles fredonne en époussetant les sièges de l'auditorium ; bel accent du Sud. Si je connaissais la technique, je l'enregistrerais volontiers. Voyant mon front appuyé à la vitre de la cabine, elle m'adresse un signe amical et esquisse un pas de danse andalouse. Mon rire

s'étrangle : deux bras m'enlacent, une voix murmure :
– Félicitations !
Mat ! Depuis que Stan m'a révélé la vérité, le remords me ronge. Dire que j'ai douté de lui ! Cela n'arrivera plus. Jamais plus je ne serai jalouse ; du moins, je l'espère. Il est si beau, mon manager, que j'ai de la peine à croire qu'il m'appartiendra toujours.
– Tu ne me demandes pas pourquoi je te félicite ? s'étonne Mat.
– Parce que je chante bien ?
– Non.
– Parce que je suis jolie ?
– Pas du tout.
– Parce que je fais tout ce que tu veux ?
– Encore moins !
Je prends un air perplexe :
– Je donne ma langue au chat.
– Pour ça, dit Mat en exhibant un journal.
J'ouvre de grands yeux : en page intérieure, ma photo s'étale sur trois colonnes. Joli portrait. Le titre n'est pas mal non plus : UNE ONDE DE DOUCEUR. Je me plonge avec avidité dans le texte : « Marlène écrit des chansons toutes simples qui parlent d'amour sans tricher. » « Bienvenue au romantisme dans un

monde habitué à confondre battements de mains et battements de cœur… »
Mat m'empêche de poursuivre en m'embrassant passionnément. Je supplie :
– Attends !
Mais il ne m'écoute pas. En bas, les trois femmes ont interrompu leur ménage et elles nous observent, hilares.
– Mat, on a des spectatrices.
– M'en fous !
Je prends le parti d'en rire. Mais, quelques instants plus tard, en achevant la lecture de l'interview, je fais la grimace. Tout y est : les facéties des jumeaux, le Blue Night, mes rêves, même les citations de « Love song » et « Voyage dans ta solitude », que Richard voulait garder secrètes.
– Un peu indécent, non ?
– La sincérité ne l'est jamais.
– Et puis, c'est injuste : l'article peut influencer le jury.
– J'espère bien !
– Et Anny, tu penses à elle ?
Il part d'un rire silencieux :
– Anny n'a besoin de personne pour se défendre.
C'est aussi mon avis. Anny n'a pas besoin de

pub, contrairement à moi.
À ce moment, Stan débarque en compagnie de l'équipe technique. Celle-ci l'expulse aussitôt, car il remplit à lui seul la moitié de la cabine. Depuis la salle, Stan me fait signe de le rejoindre, mais Mat m'en empêche :
– Tu sais, mon père est content.
Je lève les yeux sur lui :
– Et toi ?
– Sony aussi : Richard, Sam, Wilkinson, tous. Ils pensent que « Love song » peut devenir l'un des tubes de l'été.
Je demande de nouveau :
– Et toi ?
Il me regarde avec une gravité teintée d'ennui :
– Moi, je ne suis pas objectif ; plus maintenant. Stan t'attend.
Il attendra. Le temps d'un dernier baiser.
En bas, Stan me tend mon casque d'un air bourru :
– On bosse ou on flirte ?
– On flirte.
J'écoute la musique, douce, rythmée, un peu mystique. Aussitôt, j'enlève mon casque.
– Il y a erreur.
Stan secoue la tête :
– Pas d'erreur.

– Si, je t'assure.
Il me rend mon casque :
– Écoute bien.
Plus têtu que lui tu meurs ! J'obéis en soupirant. Je connais ma musique, tout de même ! Jolie mélodie. Je me frappe le front et lève la main au ciel en riant. Stan veut s'amuser ? Pourquoi pas ? Il me regarde d'un air hargneux.
– Tu ne reconnais même plus tes chansons ?
J'écoute plus attentivement :
– « La fille qui parle avec les étoiles » ?
Le rythme musical s'accorde à celui des mots. Stan approuve, l'air ravi. J'ouvre des yeux étonnés :
– Comment tu as fait ?
C'est hier qu'il m'a chipé mon texte.
– Secret de famille.
Il a dû travailler jusqu'au matin dans le club privé du XIVe où il passe ses nuits. Ces musiciens sont dingues ! Imprévisibles. Merveilleux. J'essaie de chanter, mais je suis tellement émue que j'ai oublié les paroles. Stan me tend mon papier couvert d'annotations.
– Tu me le rendras, exige-t-il. Ce tas de boue vaudra une fortune quand tu seras devenue une star.

Je secoue la tête :
– C'est toi, le grand varinya de la chanson.
Il rit si fort que son fauteuil s'effondre. Cette fois, il a fini par avoir sa peau.
– La musique m'ennuie, dit-il en s'extirpant des débris de cuir et de bois. Ma passion à moi, c'est le basket. Michael Jordan, pas Michael Jackson.
Je lève les yeux au ciel :
– N'importe quoi !
Là-haut, les techniciens s'impatientent. Ça fait six fois qu'ils remettent le son. Enfin, je chante ; les mots viennent tout seuls. Après quelques réglages, la chanson se met à vivre. J'ai l'impression que le doux visage de Sophie me regarde. Je suis tellement absorbée dans mon rêve que je ne vois pas Mat entrer dans le studio. Il discute avec Stan. Au bout d'un instant, j'enlève le casque pour l'entendre demander :
– Qu'est-ce que c'est, cette chanson ?
Stan hoche la tête :
– La petite l'a écrite hier.
Je m'inquiète :
– Elle ne te plaît pas ?
– Ce n'est pas la question, mais j'aimerais bien être au courant de vos fantaisies.

À son air, je comprends qu'il est fâché. En fait, il est jaloux de ma complicité avec Stan. Jaloux ! Quelle merveille !
– Deux jours, il reste deux jours, grogne-t-il.
– O K, on reprend, dit Stan en m'adressant une grimace effrayée. Mais la petite est au point…
Mat sort en claquant la porte. J'ai du mal à répéter. C'est la première fois que ça m'arrive. D'habitude, la musique m'emporte et me fait oublier tout. Là, elle m'oppresse comme si elle était un obstacle entre Mat et moi.
– O K, c'est fini pour aujourd'hui, grommelle Stan.
J'ai peur que Mat ait quitté le Stardust ; mais il m'attend patiemment, penché sur un vieux numéro de *Rock and Folk*.
– Chouette chanson, murmure-t-il sans lever le nez.

Chapitre 16

Dernier jour avant le combat. Je comprends ce que les premiers chrétiens devaient ressentir avant de pénétrer dans l'arène. Stan vient de m'annoncer que notre concert aurait lieu au Zénith, en avant-programme de Tracy Brown, devant des milliers de spectateurs. Moi qui croyais chanter en studio, dans une atmosphère feutrée à la Blue Night !
– Mat était au courant ?
– Bien sûr, dit Stan.

– Pourquoi ne m'a-t-il rien dit?
– Va lui poser la question. Tiens, le voici.
Mat hausse les épaules:
– Quelle différence?
– La différence, c'est que je suis morte de peur.
J'ai une envie folle de me sauver à toutes jambes. La scène est monumentale. Les machinistes qui règlent l'éclairage ont l'air de vouloir brûler les décors. Et puis il y a Orlando, un jeune présentateur hystérique qui nous prend pour des débiles et nous appelle «ma poule». Je t'en ficherais des poules, moi!
– Ça ira, murmure Mat.
C'est tout ce qu'il trouve à dire. Au lieu de me calmer, son flegme m'exaspère:
– On voit bien que ce n'est pas toi, dans la fosse aux lions!
– Ça m'arrive aussi, tu sais.
Comment lui faire comprendre qu'il y a une différence entre une voix et une guitare? Il m'a caché la vérité. Je devrais dire «nous», car Ava non plus n'était pas au courant. Si ce complot était destiné à prolonger la sérénité de nos répétitions, c'est raté.
– Je serai là, près de toi, je ne te quitterai pas une seconde.

C'est mieux, mais il pourrait faire au moins semblant d'être sensible à ma panique. Il est toujours si sûr de lui, si sûr de moi ! En outre, son portable n'arrête pas de sonner et, en discutant, il me regarde comme s'il ne me voyait pas. Je déteste ces appareils qui transforment les filles en fantômes.

Orlando bat le rappel. Il est là pour mettre au point la mise en scène de la soirée. Il nous explique le jeu des lumières, le mouvement des caméras, la manière d'entrer en scène et d'évoluer. Avant de chanter, précise-t-il, nous devrons répondre à ses questions, mais il refuse catégoriquement de nous dire lesquelles. À mon avis, il n'en a aucune idée.

– Vous comprenez, il faut que vos réponses soient spontanées, prétend-il.

– Et si je ne sors pas un mot ? grogne Ava.

Petit rire d'Orlando :

– Ça, c'est mon affaire.

Petit rire d'Ava :

– C'est surtout la mienne, gros malin !

L'adjectif énerve notre Orlando :

– Bon, on répète !

Anny s'avance. Elle porte une robe fendue sur un mini-short noir qui révèle des jambes parfaites. Les questions-pièges d'Orlando ne la

prennent jamais au dépourvu. Ses réponses fusent. Sa voix, un peu enfantine, est fondante, son humour fait mouche.
– Et intelligente, avec ça ! me glisse Ava d'un air dégoûté.
– Vous voyez, ce n'est pas plus compliqué que ça ! triomphe Orlando.
Ensuite, l'orchestre s'installe, impressionnant. Les musiciens ont répété toute la matinée. On procède au réglage du son. Anny, toujours en scène, se prête de bonne grâce aux essais. Entre-temps, elle plaisante avec les musiciens.
– Pas coincée, la mignonne ! fait remarquer Ava.
– Pas vraiment.
L'orchestre commence à jouer. Anny se concentre un bref moment, puis elle attaque de sa jolie voix, pleine de fraîcheur. Joli corps aussi, capable d'accompagner le rythme sans vulgarité. Sa chanson n'est pas très originale, mais elle a le mérite d'être à la mode, et Anny sait la mettre en valeur. C'est un plaisir de la voir danser, car c'est bien d'une danse qu'il s'agit. Chacun de ses gestes est harmonieux. Quand elle a fini, je ne peux pas m'empêcher d'applaudir, comme si j'étais au spectacle. Anny m'adresse un petit geste amical et un

sourire qui me trouble étrangement, car il est la réplique de celui de Mat.
– Ne me dis pas qu'elle est gentille, par-dessus le marché ! dit Ava.
Malgré son air écœuré, je la devine sous le charme, elle aussi. Elle rejoint Anny et bientôt je les vois rire aux larmes toutes les deux.
– Comment tu trouves ma petite sœur ? demande Mat.
– Stupéfiante !
– Non, stupéfiante, c'est un mot qui t'est réservé. Anny ressemble trop à mille autres chanteuses actuelles, Alizée par exemple. Je ne cesse pas de le lui répéter, mais elle n'en fait qu'à sa tête.
– Je te trouve bien sévère. J'aimerais bien avoir son corps et sa voix. Et, en prime, ses yeux et son sourire, j'allais dire : ton sourire !
Mat secoue la tête en souriant, justement.
– Tu sais ce qui me plaît en toi, Marlène ?
– Mon caractère angélique ?
– Et quoi encore ! Tu as un caractère de cochon. Ce que tu ignores, c'est que tu as un charme fou et tu possèdes une forte personnalité, tout ce qui manque à ces filles-là !
Il balaie mes rivales d'un geste négligent.
– Toi, au moins, tu sais parler aux filles !

– Pas vraiment.

Il est sincère. J'ai envie de lui expliquer qu'il n'a même pas besoin de parler: sa beauté le fait pour lui, mais je me retiens. Surtout ne pas donner de mauvaises pensées aux mecs. Je soupire :

– Si le public pouvait être de ton avis !

– Le public, on s'en fout !

On voit bien que ce n'est pas lui qui va être dévoré !

– Demande à Stan ce qu'il en pense. Demande à Richard, à Sam, à mon père. Ils ont passé leur vie à entendre des voix.

– Comme Jeanne d'Arc ?

Ma plaisanterie ne l'amuse pas. Il plisse les yeux d'un air cruel :

– C'est à ton tour. On va voir si tu frimes autant en scène !

– Sale Kala-Kala !

C'est Stan qui m'a appris ce mot-là. Il signifie démon. J'attendais l'occasion de le placer.

Chapitre 17

Le grand jour est arrivé. Drôle d'expression, car il fait nuit, et les galeries le long desquelles je me faufile comme un termite sont plongées dans la pénombre.

Depuis une semaine j'essaie de joindre Abel et Viviane, sans résultat. Leur silence commence à m'inquiéter. Mat me rassure :

– Je les ai contactés. Ils sont ravis, tout excités. Je leur ai dit que tu étais fin prête pour le concours.

C'est malin ! Moi, je leur aurais avoué que j'étais morte de peur, et papa aurait trouvé les mots, il les trouve toujours. C'est aussi pour lui que je chante ce soir, pour lui montrer que mon rêve d'enfant n'était pas si fou, ou que ma folie est le premier pas de ma carrière. Mes chansons noyées dans les fumées et le brouhaha du Blue Night vont enfin toucher les cœurs. La question est de savoir si les milliers de spectateurs qui me guettent ont un cœur.
Mat sort de ma loge pour me permettre d'enfiler ma robe du soir. Sylvie me sert d'habilleuse. Le coiffeur et la maquilleuse survoltés me distraient quelques instants.
Je me contemple dans le miroir. Pas mal. J'interroge Sylvie :
– Comment je suis ?
– Belle à croquer !
À croquer : c'est bien ce qui m'inquiète quand j'entends gronder la bête aux deux mille têtes derrière le frêle rempart des décors.
En passant devant la loge, les autres candidates me jettent de brefs coups d'œil. Elles sont prêtes avant moi, car je viens en dernier. Leurs robes sont courtes et audacieuses, la mienne est trop sage, c'est ce que me disent leurs

regards. Ma panique renaît. Quand Mat revient, j'ai l'air d'une naufragée.
– Je ne fais pas trop romantique ?
Il m'examine avant de décréter :
– C'est ton style.
Réponse ambiguë, qui est loin de me rassurer. Son visage est crispé. Est-ce moi qui lui communique ma tension ou l'inverse ? Ma robe est beaucoup trop serrée pour une nana habituée à marcher à grands pas, et mes talons sont trop hauts. À tous les coups, je vais me tordre les chevilles et m'étaler !
J'entends Ava supplier :
– Personne ne veut amidonner ma robe ?
– Pourquoi ? demande Sylvie, qui lui tient la main.
– Parce que si tu me lâches, je m'écroule.
Les filles rient nerveusement.
En scène, dans l'ensemble, elles se débrouillent bien. Seule Ava a un trou de mémoire, mais elle se rattrape en fredonnant et en faisant semblant de faire chanter le public. Ses mimiques remportent un joli succès.
Puis Anny entre à son tour. Elle bavarde avec Orlando. Je ne comprends pas ce qu'elle dit, mais ce doit être drôle, car la salle rit et applaudit. Déjà ! Elle n'a pas même commencé

à chanter, et elle a déjà gagné la partie. Je prie intérieurement : « Donnez-moi dix grammes de son esprit ! »

La belle ne se presse pas. Elle laisse la musique s'installer, s'accoude au piano à la manière de Marilyn Monroe, puis elle bouge avec grâce, gagne le bord de la scène, se penche vers le jury. Ils sont là, tous les douze, les jurés, comme dans un tribunal. Leur jugement ne m'inquiète guère. Tout ce que je veux, c'est arriver à chanter. Ma gorge est nouée. Je tente frénétiquement de récapituler tout ce que j'aurai à faire : le sourire, les gestes, les caméras, le micro. Celui-là, je l'aime : grâce à lui, je n'aurai pas à forcer ma voix. Je me répète : « C'est comme au Blue Night. » Mais, en regardant l'immense salle, je suis loin d'être convaincue. J'ai oublié les paroles de ma chanson. C'est comment, déjà, après : « tu ne m'aimes pas ? »

Au même instant, Mat me prend dans ses bras. Quelle importance, ce cirque, quand on est aimée du garçon le plus craquant du monde ? Les hurlements du public me parviennent. Le triomphe d'Anny achève de me désarmer.

– À toi.

Mat me pousse avec douceur.

– Et maintenant, notre sixième candidate : Marlène.
Je m'avance à petits pas. Les projecteurs m'aveuglent et me brûlent. Je les bénis de rendre la salle invisible. Les gens applaudissent. J'ai envie de les supplier d'économiser leur enthousiasme. Mon sourire doit être figé. Orlando se creuse les méninges pour me mettre à l'aise. J'arrive à articuler deux ou trois banalités.
Heureusement, la musique me délivre. « Love Song ». Je saisis le micro, ferme les yeux. Que les caméras se débrouillent. Moi, je chante comme j'aime : repliée sur mon cœur. Au début, ma voix hésite, puis elle trouve son rythme. Les mots me viennent avec ce qu'il faut de vibrations pour parler d'amour sans avouer que c'est à Mat, et à lui seul, que je m'adresse.
Comme au Blue Night, la mélodie m'emporte. Je suis bien, je voudrais que la chanson ne finisse jamais. Elle finit, pourtant, et la salle rugit. J'écoute, étonnée, toutes les voix qui répondent maintenant à la mienne. Ce vacarme merveilleux dure. Je crois que je vais aimer cette bête féroce devenue mon amie.
Je salue sagement et sors de scène.

Stan m'écrase entre ses bras. Mat dit seulement :
– C'était bien.
C'est tout ce qu'il trouve à dire, alors que j'ai l'impression d'avoir remporté le marathon de New York ! Je suis brisée, épuisée, à moitié ivre. Remède miracle : Mat me serre contre lui et murmure : « Tu ne peux pas savoir combien je t'aime. »
Autour de nous, les filles rongent leurs ongles ou triturent leurs mouchoirs. Elles attendent la décision du jury. Celui-ci est en train de sélectionner deux candidates pour l'épreuve finale. Chacune des élues chantera deux chansons. Je murmure à Mat :
– Surtout, ne me quitte pas.
– Viens.
Il m'entraîne à l'écart, dans un coin sombre. Je m'assoupis doucement sur son épaule. Au loin, sur une autre planète, l'orchestre joue des airs connus, et Orlando fait chanter la salle.
Soudain, le silence : le présentateur annonce que le jury a fait son choix. Le public hurle des noms. Puis la tempête s'apaise. Orlando proclame les résultats.
– Tu as gagné, dit Mat.
– Tu es fou !

Je n'ai rien entendu. Une tornade noire me saute au cou, c'est Ava. On dirait que c'est elle, la finaliste ! C'est donc vrai, j'ai réussi. Je pense de toutes mes forces à Abel et Viviane. Ils me verront triompher sur cette scène où se sont produites les plus célèbres chanteuses du monde. Des larmes se mettent à couler sur mes joues.

– Raccord ! dit une assistante.

La maquilleuse se précipite, mais Mat la tient à distance :

– Laisse !

J'entre en scène comme ça, un peu défigurée par l'émotion et les larmes. Anny me tient gentiment la main. Elle est super. Il me semble que le monde entier s'est mis à m'aimer.

Chapitre 18

Peu m'importe de gagner, maintenant. Je sais que je serai capable de réaliser mon rêve : écrire des chansons et ressentir, face au public, cette émotion bouleversante dont on ne peut plus se passer après l'avoir goûtée, ne serait-ce qu'une fois, comme je viens de le faire.
Mat avait raison. Je le sens près de moi, mon génial musicien, comme une ombre amoureuse, prêt à me soutenir, à me défendre quoi qu'il arrive.

J'observe Anny. C'est elle qui entre en scène la première. Sa nouvelle chanson est bien meilleure que celle de tout à l'heure. La futée s'est réservée pour la finale, certaine d'arriver jusque-là.

Pendant que la maquilleuse me refait une beauté, Stan s'approche avec des airs de conspirateur :

– Ta deuxième chanson, la dernière, ce sera « La fille qui parle avec les étoiles ». O K ?

Je me demande s'il a perdu la tête ou s'il se moque de moi. Dans quelques minutes, je vais entrer en scène. Ma chanson, c'est « Summer Blue ».

– Tu plaisantes !

– Pas du tout, c'est réglé.

– Cette chanson, je ne la connais pas, on n'a pas assez répété. Et l'orchestre, tu as pensé à l'orchestre ?

– Il a tout ce qu'il faut, l'orchestre.

– Pas moi, je ne la sais pas.

– Tu la sais très bien.

Je me tourne vers Mat pour le prendre à témoin ; mais, au lieu de me soutenir, il confirme, avec sa nonchalance habituelle :

– C'est ce que tu as écrit de meilleur.

Je hausse les épaules en riant :

– C’est un complot !
– Une stratégie, dit Stan avec un clin d’œil.
Je sens que je cours au désastre ; et je m’en moque, car mon premier succès m’a donné toutes les audaces.
– En cas de besoin, murmure Stan en me glissant une feuille avec les paroles de ma chanson au creux de la main.
Pour Anny, c’est fini. Un vrai triomphe. Je lui souris au passage, et elle chuchote : « Bonne chance. »
L’orchestre attaque tout de suite ma première chanson, clouant le bec à Orlando. Cette fois, mon sourire n’est pas un rictus de commande. J’ai envie de remercier tous ces gens qui me regardent en silence, et c’est à chacun d’eux que je m’adresse. Ma chanson est belle, un peu tragique. Elle raconte un amour bref et violent, inspiré de Roméo et Juliette. Pas vraiment dans le vent, la chanson, malgré l’orchestration de Mat, mais j’aime beaucoup les paroles. Le public, c’est moins sûr, et je m’en fiche. Tout ce que je veux, c’est chanter, chanter ainsi toute la nuit.
À la fin, on m’applaudit pourtant. J’entends crier mon nom. J’aime cette clameur, ces gens qui s’éveillent brusquement des six minutes de rêve que je leur ai offertes.

Je salue. L'orchestre attaque presque aussitôt «La fille qui parle avec les étoiles». Le rythme est un peu trop rapide à mon gré. Je prends mon temps exprès. Petite sœur, c'est de toi qu'il s'agit. Où que tu sois, j'espère que tu m'entends. Les mots sont doux comme ton sourire, déchirants comme tes larmes. Stan a raison: ces mots, je les sais par cœur ce soir. Ce que je n'arrive pas toujours à te dire, Sophie, la musique le dit pour moi. Je serre la main, broyant la feuille avec les paroles. Quand je déplierai ce chiffon, tout à l'heure, je verrai qu'il n'y a rien d'écrit. Stan m'a donné ça pour me rassurer. Comment lire et chanter en tenant un micro, avec un suiveur dans les yeux?
C'est fini. Ma voix se tait. Le public aussi. Étrange, ce silence qui s'éternise, épais comme la nuit. Je pense, un peu déçue: «Ils n'ont pas aimé!» Et, tout à coup, la foule se déchaîne. Un vrai délire. Les gens tapent des mains et des pieds, ils hurlent, on dirait que cette frénésie ne s'arrêtera jamais. Je contemple ce miracle. J'espère que tu le verras aussi, un jour, à la télé, Sophie. Regarde bien, petite sœur, car c'est à toi que je souris.
– Marlène!

Orlando crie mon nom. Le jury a choisi, peut-être sous la pression du public. Mat, toujours aussi imperturbable, m'adresse une petite moue satisfaite. Stan lève le poing à la manière des Black Panthers. Je ne sais que faire du bouquet qui m'encombre, ni des questions d'Orlando :

– C'est un rêve, non ? me dit-il en montrant la salle.

– La chanson, oui.

– Et le succès ?

Je ris.

– Ça, c'est la réalité.

– Vous voilà célèbre en quelques minutes. On a senti qu'il se passait quelque chose de miraculeux, entre le public et vous, une sorte de grâce. Vous vous y attendiez ?

– Pas du tout. Cette soirée est la plus belle de ma vie.

– Un premier disque, un clip, plusieurs émissions, et un chèque de quinze mille euros offert par Sony que j'ai le plaisir de vous remettre... À quoi pensez-vous, Marlène ?

– À mes parents. J'aurais aimé qu'ils puissent être là, ce soir.

– C'est votre vœu le plus cher ?

– Le plus cher.

– Alors, ouvrez bien les yeux.
Tout à coup, ils sont tous là : Viviane, au bord des larmes, Abel avec son allure un peu raide d'officier britannique, les jumeaux, muets pour une fois, Jonathan, fasciné par les caméras, Sabrina qui sourit au public, et Sophie, blottie contre moi comme une enfant perdue. Et moi, graine de star, parolière un peu paumée, je reste sans voix après avoir si bien chanté.

Chapitre 19

Le lendemain, nous rentrons tous ensemble dans la Renault Espace d'Abel.
Instinctivement, nous avons repris nos habitudes : les parents devant, les filles au milieu et les garçons derrière. Abel cache mal sa fierté, et Viviane semble heureuse de voir que je n'ai pas changé.
Suis-je bien la même ? Non : au fond de moi quelque chose s'est brisé, car j'ai perdu Mat.
Au cours de la réception qui a suivi le spec-

tacle, il est sorti de ma vie sans un adieu. Je n'ai même pas pu partir à sa recherche. Cette fête était en mon honneur. Sony avait rempli le Plazza de journalistes et de célébrités. J'ai dû sourire, répondre aux questions, parler de mon bonheur sans avoir l'air de souffrir.

Quand j'ai pu enfin m'échapper, vers minuit, je n'étais plus qu'une Cendrillon de chiffon, blessée et transie. Abel a jeté son manteau sur mes épaules. Je me suis laissé conduire à leur hôtel. Enfermée dans ma chambre, j'ai téléphoné à la Villa des Artistes, puis, beaucoup plus tard, à Stan. Mat n'avait pas laissé de message. J'ai su qu'il était parti pour Milan. Un concert avec Sonny Bell.

J'ai cherché ce que j'avais bien pu faire pour être abandonnée ainsi. Alors, je me suis rappelé ma réponse à Orlando : mon vœu le plus cher ? Revoir mes parents. Pas un mot pour lui, pas un remerciement, pas un seul geste tendre, alors que je lui dois tout. Il y a trois semaines, je n'étais encore qu'une fille encombrée de rêves. Il m'a découverte, formée, conseillée. Sans son aide, je n'aurais jamais osé affronter le public du Zénith. Abel m'a raconté comment il était resté avec eux, après mon départ, pour les convaincre, obtenir leur autorisation, organiser leur voyage à tous. Il a été merveilleux, et moi, pauvre idiote, aveuglée par le succès…

– Ça ne va pas, Marlène, ma chérie ?

– Si, maman, juste un peu de fatigue.

– C'était magique, chuchote Sophie.

– Pas étonnant, avec un matos pareil, jubile Jona, encore étourdi par la tempête de décibels du Zénith.

– Si ça se trouve, c'était du play back, dit Léo.

– N'importe quoi ! soupire Sophie en levant les yeux au ciel.

– Tu sais ce que c'est qu'un play back ? s'étonne Abel.

– Tu parles ! dit Léo, c'est quand on fait semblant de chanter.

– C'était même pas sa voix, ricane Ted. Tu sais, comme dans les films muets : la meuf fait les gestes tandis qu'une autre chante à sa place.

– Le pire, c'est qu'elle n'a même pas fait les gestes, ajoute perfidement Léo.

Il est vrai que j'étais paralysée. Sales mômes ! Ils se marrent en douce, et j'ai bien envie d'en faire autant. Je gronde :

– J'en connais deux qui vont finir le voyage en stop.

– Ouais, génial ! hurle Léo. Faire du stop, le pied ! Arrête-toi, papa, arrête-toi !
– Si vous croyez que quelqu'un va s'arrêter pour des vauriens dans votre genre !
– On pourrait emmener Sabrina, elle montrerait ses jambes, suggère Ted. Il paraît que ça marche.
– Tu rigoles ! dit Léo. Sabrina montre *toujours* ses jambes et même les mecs en rollers ne s'arrêtent pas !
Tandis que Sabrina, furieuse, distribue des taloches et que Viviane réclame le silence, je serre Sophie contre moi :
– Au fait, j'ai un cadeau pour toi.
Je me tourne vers Jonathan.
– Tu me prêtes ton baladeur ?
– Il s'appelle « Reviens » ! grommelle Jona.
Je sors de mon sac la cassette que m'a donnée Stan.
– La chanson s'intitule « La fille qui parle avec les étoiles », et cette fille, c'est toi. J'ai écrit ça un matin, parce que tu me manquais.
– C'est une merveilleuse chanson, dit Viviane en nous regardant d'un air attendri.
Avant de placer les écouteurs sur les oreilles de Sophie, je murmure :
– C'est grâce à toi, tu vois, si j'ai gagné hier.

Chapitre 20

J'ai fini par m'endormir au petit matin.
À neuf heures, la sonnerie à la porte d'entrée et le galop des jumeaux me réveillent. Ma chambre, si gaie d'ordinaire, a un air d'abandon qui m'attriste. Aucune lettre, aucun message de Mat ici non plus. Hier, son indifférence me blessait ; maintenant, elle me révolte. Je finis par croire que je n'étais pour lui qu'une jeune chanteuse un peu plus douée que les autres, un espoir, comme on dit. Un désespoir !

Il m'a découverte et menée où il voulait. Les contrats signés avec Concerto, il peut maintenant passer à une autre. Je l'imagine en train d'auditionner de nouvelles candidates à la célébrité, avec cette nonchalance qui m'a fait perdre la tête. Pour échapper à cette pensée insupportable, je me précipite sous la douche et pousse la manette à fond sur le bleu. L'eau glacée me brûle la peau. Comme si on pouvait chasser la jalousie avec des frissons, et le malheur à coups d'éponge !

Je me sèche, enfile un pull et un jean, dévale l'escalier, pieds nus.

– C'était le facteur ?

– Le facteur passe beaucoup plus tôt, tu sais bien, dit Viviane. Tu attendais quelque chose ?

Je masque ma déception sous une ironie amère :

– Des lettres d'admirateurs.

– Rien que des factures ! grimace Abel.

– À propos…

Je sors de ma poche le chèque de Sony : quinze mille euros, une somme !

– C'est pour vous.

– Pour toi, dit Abel en repoussant ma main. Tu en auras besoin cet été.

J'insiste :

– Pour nous tous.
Viviane adresse un sourire complice à Abel, puis elle me prend la main :
– Nous ne t'avons pas annoncé la nouvelle, mais, après ton départ, ton père a été nommé directeur d'un centre de recherches qui travaille sur un nouveau prototype.
– Le H 111, dit Abel, un projet révolutionnaire, avec, pour une fois, un budget à la hauteur.
Je suis si heureuse ! Je me jette dans ses bras. Il me caresse les cheveux d'un geste tendre. Il y avait longtemps que nous n'avions pas été aussi proches.
– Tout va bien, tu n'as pas à t'inquiéter, murmure-t-il. Il faut penser à toi. L'autre soir, tu nous as fait un immense cadeau. Te voir ainsi en scène, si épatante, c'était… géant, comme dirait Léo.
– Je ne dis jamais ça ! grogne Léo.
Ils sont tous autour de moi : les jumeaux, Jona, Sophie, Sabrina. Pourtant, on est mardi.
– Vous n'êtes pas à l'école ?
– Et les vacances, patate ?
Pâques ! Où avais-je la tête ? Sans doute quelque part, très loin d'ici, sur une route ensoleillée où vrombit une Porsche grise.

– Nous aussi, nous t'avons préparé une surprise, dit Abel. Elle t'attend au jardin.
– Ouais ! Allons voir la surprise ! hurlent les jumeaux en se précipitant vers la véranda.
– Restez ici ! ordonne Abel d'un ton sévère.
Léo et Ted obéissent de mauvaise grâce. Sophie sourit d'un air malicieux. Même Sabrina plisse ses jolis yeux.
– Qu'est-ce que c'est ? Vous n'avez pas fait de folie, au moins ?
– Pourquoi non ? Tu crois être seule à faire des folies ? dit Abel en adressant un clin d'œil à Viviane.
Ils semblent tous si impatients et satisfaits ! Je m'élance dans l'escalier pour leur faire plaisir.
Le jardin est désert. Un soleil printanier tiédit les dalles qui traversent la pelouse. Nu-pieds, je saute de pierre en pierre en regardant un peu partout. Ce jeu me rappelle le temps où je dénichais les œufs de Pâques.
Soudain, je pousse un cri : deux mains, surgies d'un bosquet, m'empoignent et me soulèvent. Des boucles blondes, des muscles durs, des lèvres douces.
– Mat ! C'est toi ! Où tu étais ? Pourquoi tu ne m'as rien dit ? Qu'est-ce que tu fais ici ? Depuis quand tu es arrivé ?

Il sourit, moqueur :
– Par quoi veux-tu que je commence ?
Ses baisers répondent à toutes mes questions. Je me laisse tomber avec lui sur un banc.
– J'ai eu beaucoup à faire, tu sais.
– Oui, mais moi…
Sa main me bâillonne.
– Chut ! Premièrement, j'ai loué une petite maison, pas très loin d'ici. C'est là que je vais vivre, à partir d'aujourd'hui.
Je libère ma bouche, effarée :
– Mais ta musique, tes concerts ?
Il sourit :
– Je me déplace beaucoup : les États-Unis, l'Angleterre, l'Italie. Mon port d'attache, désormais, ce sera ici. Et comme nous voyagerons souvent ensemble…
Il continue inlassablement à m'expliquer sa vie, notre vie. Sa voix est d'une douceur inouïe. Sa voix ! La plus géniale des musiques. La musique du cœur.

FIN

Cœur Grenadine

301. MON DOUBLE ET MOI
302. LE SECRET DU ROCKER
303. UN GARÇON DANS LE DÉSERT
304. LA FILLE SUR LE PLONGEOIR
305. UN DUO D'ENFER
306. DESTINATION SYDNEY
307. ÉCHEC ET... MATHS
308. RÊVES D'HIVER
309. PETITE SŒUR
310. UN GOÛT D'ORAGE
311. UNE ANNÉE EN GRIS ET BLEU
312. EN ATTENDANT L'AUTOMNE
313. NE ME DITES JAMAIS «JE T'AIME»
314. MENTEUSE !
315. BLEU COMME LA NUIT
316. MUSIQUE À CŒUR
317. C'EST MOI QUI DÉCIDE
318. LE GARÇON QUE JE N'ATTENDAIS PAS
319. C'EST LE VENT, BETTY
320. NON, PAS LUI !
321. LE CAHIER D'AMOUR
322. MA VIE RÊVÉE
323. UN CARTON JAUNE POUR DEUX
324. LA JALOUSE
325. BONS BAISERS DE BRETAGNE
326. UN ÉTÉ ORAGEUX
327. AMOUR ET MENSONGES
328. SVEN ET MARIE
329. EMBRASSE-MOI !
330. COMME CHIEN ET CHAT
331. LA COURSE AU BONHEUR
332. LES AMOUREUX DU SQUARE
333. LE SECRET DE LÉA
334. LES FANTÔMES DU CŒUR
335. JE NE SUIS PAS EN SUCRE !
336. DERNIER ÉTÉ SUR L'ÎLE
337. CAP SUR L'AMOUR
338. PLONGEON EN SOL MAJEUR
339. DU CÔTÉ DES ÉTOILES
340. UN AMOUR D'ANGLAIS
341. DANSE AVEC MOI
342. DIS-MOI QUI TU AIMES
343. LA BALLADE DE SAMMY SONG
344. OBJECTIF AMOUR
345. ET SI C'ÉTAIT UN ANGE ?
346. LE SOUFFLE DE L'ANGE
347. LE SOUVENIR DE L'ANGE
348. UNE CHANCE POUR MOI
349. UN AMI D'AMOUR

Impression réalisée sur CAMERON par

BRODARD & TAUPIN

GROUPE CPI

La Flèche
en mai 2002

Imprimé en France
N° d'Éditeur : 7254 – N° d'impression : 12765